elle était une fois

collection dirigée par Marie-Josèphe Guers

DU MÊME AUTEUR

Aux éditions Syros-Paris

Pas d'histoire, les femmes, 1977.

Hélène Brion ; la voie féministe, 1978.

Un coin dans leur monde, 1979.

Aux éditions Alain Moreau-Paris

Le ministère du Possible..., 1986.

Aux éditions Ramsay

Choses dites de profil, 1988.

HUGUETTE BOUCHARDEAU

GEORGE SAND

la lune et les sabots

ÉDITIONS ROBERT LAFFONT
PARIS

ISBN 2-221-05840-2

MADAME George Sand est imprenable. J'eus, à l'approcher, bien des difficultés. Voyez : comme une statue dont on n'arriverait jamais à faire le tour ; jupe rebondie, poitrine généreuse, bandeaux étagés élargissant le bas du visage... petits pieds, petites mains, petite taille, pourtant... fine comme une liane dans ses brusqueries d'adolescente, imposante comme un bouddha dans la lenteur vigoureuse de la maturité. De tout en bas, nous levons la tête ; elle a ses yeux de sphinx bombés sous leurs paupières lourdes, une bouche sérieuse, un air d'absence. Elle qui ne sut jamais refuser sa présence. Comment l'approcher ? Comment l'amadouer ? Tant de livres à lire... cent vingt, cent trente ? Et les lettres... vingt-trois volumes d'un millier de pages chacun publiés à ce jour... vingt-quatre demain... vingt-cinq au total ?

J'ai dévoré cette correspondance, lu et relu cette *Histoire de ma vie* où George avait voulu se présenter elle-même. Pour moi, des cahiers et des cahiers bleuis, une sorte de fatigue bien particulière à tenir ouverts sous le coude gauche les livres trop solidement reliés pendant que la main droite accumule les notes ; le tourbillon des classements impossibles, des rubriques toujours multipliées ; artisanat laborieux où j'espérais rejoindre - malgré la photocopie et l'ordinateur - la « pioche » acharnée à laquelle George passa le plus clair de son temps. Chaque épisode, chaque amitié, chaque roman eût mérité un chapitre ou un ouvrage. Je sombrais dans la quantité.

Et voilà que me vint un mal bizarre : j'aimais George. Cette diable de femme-là en avait séduit plus d'un, plus d'une, jusqu'à ce spécialiste rigoureux, Georges Lubin, qui demande pardon à son épouse d'avoir glissé cette intruse en tiers dans son ménage. Après tant d'autres, j'étais tombée sous le charme de George. Et je n'eus plus qu'une envie : faire partager cette faiblesse subie, cette richesse conquise. Écrire une biographie ne s'imposait pas. Le livre de Joseph Barry, *George Sand ou le Scandale de la liberté,* sera, pour de nombreuses années encore, un document inégalable. Une étude ? Elles sont légion, et l'ouvrage de Francine Mallet - publié en 1976 - reste une mine de mises au point et d'analyses.

J'ai tenté à ma manière un livre d'aperçus, m'efforçant de découvrir Aurore Dupin, devenue George Sand, en égrenant huit journées de sa vie. Autour de ces huit dates, comme des pierres dans l'eau, j'ai voulu décrire les cercles progressifs qui constituent la trame d'une existence. Sur certaines de ces journées, nous savons tout ou presque tout : le journal tenu par George ou un ami, des lettres, des récits nous renseignent. Sur d'autres, nous ne gardons que des bribes. Cependant, chaque fois, la date a été choisie non pour son caractère exceptionnel, mais pour le « point de vue » qu'elle permet. Comme une halte au cours d'une promenade invite à fixer un moment de paysage.

Le titre *La Lune et les Sabots* évoque cette expression, une des préférées de George Sand : « Prendre la lune avec les dents ». Car, tout au long de son existence, George tisse des rêves : adolescente, elle s'exalte pour le couvent. Mariée à un bonhomme de mari, elle correspond des années durant avec un amoureux platonique qu'elle nomme « l'être absent ». Elle s'embrase de passion folle pour des hommes dont les noms ne seront pas tous aussi célèbres que ceux de Musset et de Chopin. Elle vibre à des utopies, écrit des journaux, se bat pour des causes. La lune...

Pourtant, la noctambule de l'idéal garde les pieds dans ses sabots, et la terre du Berry pèse lourd à ces sabots-là. Ne pouvant gouverner avec son seul héritage le domaine de Nohant, elle se mêle tout à coup de « gagner sa vie » et passe à compter, à vendre, à acheter, un temps que beaucoup d'intellectuels jugeraient trop précieux pour cela. Elle ménage sa maison de main de maître. Elle commande les tissus de ses robes, en indique les façons ; elle brode au petit point tout un mobilier de salon ; elle jardine ; elle élève de nouvelles races de poulets ; elle choisit ses fleurs et ses légumes ; elle veille aux achats de la cuisine et ne dédaigne pas de mettre la main aux confitures et aux pâtés ; elle costume les marionnettes du théâtre et les poupées de ses petites-filles. Vivant comme un homme, elle garde comme bien précieux tous les acquis de la culture des femmes : le contact charnel et quotidien avec les choses de la vie.

La lune et les sabots. Femme entre terre et ciel. Elle avait écrit, un jour d'émotion, à Gustave Flaubert : « Il n'est qu'un seul bonheur : aimer les exceptions, donc je vous aime... » Qui n'aurait envie de lui retourner la formule ?

La vie et l'œuvre de George Sand sont si riches... Pour permettre aux lecteurs de trouver des repères, d'une date à l'autre, nous avons établi, à la fin de ce livre, un tableau rapide des événements intervenus et des œuvres écrites entre les périodes étudiées.

1

Lundi 17 septembre 1821

Rougir de ce qu'on adore, allons donc ! Avoir besoin de l'assentiment d'autrui pour se donner à ceux qu'on sent parfaits et chérissables de tous points !... Je n'étais point lâche...

« ...une adolescente scrutant, plaisir et angoisse mêlés, les divers destins qui pourraient présager le sien. »
Par Marie-Aurore de Saxe, pastel,
musée Carnavalet, Paris.
Cl. Françoise Foliot.

« Moi, monsieur, je ne suis pas de ces demoiselles confites dans les salons ! » La jeune fille se transforme, relève ses boucles brunes, se coiffe d'un chapeau à large bord ; elle lisse sur sa lèvre supérieure une moustache imaginaire ; elle enfle sa voix : « Voulez-vous bien vous taire, petite sotte, vous n'êtes qu'une moricaude », défie à nouveau l'interlocuteur qu'elle s'est inventé : « Monsieur, je suis Aurore, Amantine, Lucile Dupin de Francueil... de Saxe ! » Elle se redresse en position de salut cavalier, se coiffe d'un feutre taupe, jette sur ses épaules une cape couleur de terre : « Une moricaude, vous dis-je, une mal venue, jaune comme un cierge pascal ; une laide avec vos gros yeux tristes ! »

Nouvelle transformation : « Je suis Aurore, souffle-t-elle à son image radoucie dans le miroir, Aurore. » Elle oublie, sur l'une des deux chaises basses qui encadrent la commode en bois peint, la redingote noire, le sarrau bleu, la casquette de garçonnet jetés à la diable la veille au soir après sa course à travers champs. Oubliées aussi les bottes cavalières abandonnées hier derrière la porte. Elle saisit sur l'autre chaise en tapisserie la robe de guingan rose que lui avait offerte sa grand-mère au retour du couvent, retient le vêtement à la taille devant elle, en écarte les volants ; elle observe l'effet de l'étoffe sur sa peau brunie. « Le soleil me brûle dans les chemins », reconnaît-elle avec une pointe de regret.

17 septembre 1821. Aurore Dupin de Francueil a dix-sept ans. Elle n'est pas encore George Sand. Héritière, bien légitime certes, de Maurice et de Sophie, mais née de mésalliance entre le descendant de Francueil et la modiste parisienne. Dans la lignée noble du père, il ne s'est pas passé de génération sans bâtard, sans parenté inavouable. Drôle d'arbre généalogique, où l'aristocratie finissante se voit greffée sans cesse de surgeons populaires, au gré des amours buissonnières. L'ancêtre le plus prestigieux, le maréchal Maurice de Saxe, était lui-même bâtard du roi de Pologne et de la comtesse Aurore de Königsmarck. Une passade du maréchal avec la fille d'un limonadier devait donner naissance à une autre Marie Aurore. Une protection aristocratique valut à celle-ci (la grand-mère de George Sand) d'être élevée chez les Dames de Saint-Cyr, hors du milieu de prostitution mondaine de la branche maternelle. On trouve dans sa famille un fermier général propriétaire, entre autres domaines, du château de Chenonceaux. Son fils unique chéri, Maurice Dupin de Francueil, avait repris le prénom d'Aurore pour la fille de Sophie Delaborde, épousée en cachette, Sophie – la mère qualifiée par George de « pauvre enfant du vieux pavé de Paris ».

Toute son existence, Aurore cherchera à dénouer la trame emmêlée de ses ascendances, à en découvrir les messages, à lire peut-être, dans ces destins croisés, le sens de ses propres complexités, de ses étranges contrastes. A tel point qu'à la publication d'*Histoire de ma vie*, que George Sand fera paraître à partir de 1854, un contemporain écrirait qu'elle aurait dû intituler sa biographie *Histoire de ma vie avant ma naissance.*

Car sa grand-mère à demi paralysée, qui sommeille encore dans la chambre voisine, se plaît souvent à lui conter, calée entre les oreillers de son lit à colonnettes, les ancêtres illustres. Elle se tait prudemment sur les autres. Et cela compose une généalogie curieuse. Une généalogie comme en dentelle : surabondance de certains dessins, espaces vides entre les mailles. Aurore s'abreuve à la surabondance et rêve sur les vides. Au jeu des ressemblances approuvées par l'aïeule, elle tente de déceler qui elle est, qui elle sera. En cette fin d'été 1821, c'est une adolescente scrutant, plaisir et angoisse mêlés, les divers destins qui pourraient présager le sien.

La commode présente un bien curieux spectacle. Les brosses à manches d'ivoire, les peignes d'écaille voisinent avec des livres, beaucoup de livres, empilés à l'horizontale. Sur les dos gravés à l'or fin, des noms d'auteurs sévères : *La Monadologie,* de Leibniz. Un minuscule volume de *L'Imitation de Jésus-Christ.* Les tomes imposants du *Génie du christianisme* de Chateaubriand. Et des Rousseau en abondance : *La Profession de foi du vicaire savoyard* en mince tiré à part, les *Lettres de la Montagne,* l'*Émile,* le *Contrat social*, des recueils de discours. Objet insolite, appuyé contre ces ouvrages, un squelette comme on en montre dans les salles d'anatomie aux étudiants en médecine : squelette d'enfant contre le cuir vieilli des reliures. Aurore, toujours perdue dans son ample chemise blanche, s'est approchée de la poupée sinistre. Elle dessine d'un geste distrait la courbe imaginaire de l'épaule au-dessus des clavicules, arrondit la main tout au long de l'humérus comme pour saisir le potelé d'un bras ; elle prend entre ses paumes le petit crâne vide, et, tandis que s'égrène le cliquetis des os trop lâchement articulés, elle s'adresse aux trous noirs des orbites : « Tu vois bien, sotte, que tu ne m'as pas empêchée de dormir. J'en avais parlé avec Stéphane. Tu n'es rien qu'un paquet d'os. Nous valons mieux que ces carcasses-là. » Puis, plus douce : « Ton âme vit ailleurs. Comme celle de mon père. Comme celle du petit frère aveugle. Écoute-moi, fillette... »

Elle s'empare de *L'Imitation de Jésus-Christ* : « Apprenez à obéir, poussière que vous êtes ! Apprenez, terre et boue, à vous abaisser sous les pieds de tout le monde. » Agacée, elle feuillette quelques pages : « Quitte-toi toi-même et tu me trouveras. Demeure sans choix et sans propriété d'aucune chose, et tu gagneras ainsi beaucoup... Je veux en tout te trouver dégagé de tout. » Elle referme le livre et le jette derrière la pile. « Comment ai-je pu me laisser prendre à ce goût de mort ? M. de Chateaubriand, c'est tout de même autre chose. » Elle ouvre le *Génie du christianisme* en remontant un signet de soie verte : « De toutes les religions qui ont jamais existé, lit-elle à voix haute, la religion chrétienne est la plus poétique, la plus humaine, la plus favorable à la liberté, aux arts et aux lettres... On devrait montrer qu'il n'y a rien de plus divin que sa morale ; rien de plus aimable, de plus pompeux que ses dogmes, sa doctrine et son culte. On devrait dire qu'elle favorise le génie, épure le goût, développe les passions vertueuses, donne de la vigueur à la pensée... » Elle s'interrompt, reprend un peu plus loin : « Notre religion craint-elle la lumière ? » Puis, se penchant comme en confidence vers le squelette affaissé : « Je parlerai de tout cela avec Stéphane... Stéphane... Stéphane », répète-t-elle plusieurs fois.

Dans la chambre voisine, on s'agite. Aurore entend, à travers le long couloir du premier étage, résonner le tintement grêle de la sonnette que la femme de chambre doit agiter pour réclamer le déjeuner de Mme Dupin. Aurore repousse tout grands les volets. Les odeurs du jardin envahissent la pièce. Un châle jeté sur sa chemise, elle se penche à la fenêtre, elle aspire profondément la brise du matin. « Aurore, je suis Aurore, Lucile, Amantine... Il va faire très beau. »

Bonne-maman parle fort derrière la paroi. D'une voix que l'attaque de février dernier a rendue inégale, tantôt en sons stridents, tantôt presque inaudible. Aurore tend l'oreille, s'inquiète. La maladie de la vieille dame a bouleversé la vie de la jeune fille. Celle-ci n'était rentrée que depuis sept mois du couvent des Dames anglaises quand l'apoplexie a frappé. A peine le temps, pour Aurore, de se réhabituer à l'ancien domaine où elle avait vécu enfant. A peine le temps d'apprécier les facilités d'existence offertes par cette grand-mère généreuse qui cherche à développer chez l'adolescente les promesses d'une intelligence qu'elle estime peu travaillée.

Sans doute Aurore a-t-elle acquis, après trois années passées dans l'institution auprès des religieuses augustines originaires d'outre-Manche, la facilité à émailler sa conversation d'expressions étrangères. Elle envoie à ses anciennes compagnes de pension de longues missives illustrées de citations anglaises, de formules italiennes. Quand le goût du mystère la saisit, elle écrit sur le rebord de sa fenêtre, *« at the setting of the sun »* : « *Go, fading sun !... Evening descends to bring melancholy on the landscape... Sky absence, radiant orb, may not increase the sorrows of my heart ; they cannot be softened by thy return* *. » A l'une de ses correspondantes, elle dit son regret de n'avoir pas le temps de s'occuper *« di questa dolce lingua »*. Elle cite des vers d'un poète italien : *« Le fronde agli alberi tornano... Sola non ritorna a me, la pace del mio cor* **... *»* « Mademoiselle Calepin », comme l'avait surnommée ses condisciples, avait beaucoup appris, beaucoup noté. Elle avait même étudié le latin, fait rare dans l'éducation des filles au XIXe siècle. Mais cette formation, aux yeux de l'aïeule, manquait pourtant de solidité. Elle avait incité

---

* « Disparais, ô soleil !... Le soir descend apportant la mélancolie sur le paysage... Ton absence, orbe radieux, peut ne pas accroître les chagrins de mon cœur ; ils ne peuvent être adoucis par ton retour. »

** « Les feuilles reviennent aux arbres... Seule ne revient pas en moi la paix de mon cœur. »

Aurore à fouiller dans la bibliothèque, à découvrir les auteurs forts que la jeune fille dévorait dans le désordre.

Il fallait bien, d'ailleurs, depuis le printemps, meubler les longues heures passées au chevet de sa grand-mère. La passion du tabac, qui valut à George tant de petits bonheurs et de grandes critiques, fut sans doute contractée en ces mois de soins auprès d'une personne âgée à demi paralysée, à la tabatière de laquelle elle puisait pour se tenir éveillée et « ne pas succomber à l'atmosphère tiède et sombre de sa chambre ». Le café noir sans sucre, l'eau-de-vie même, avoue-t-elle, l'aidaient à prolonger les veilles. Comme, de plus en plus, la malade confondait nuit et jour, l'adolescente commença, cette année de ses dix-sept ans, à mener l'existence de noctambule qui allait lui permettre, pendant plus d'un demi-siècle, de vivre les nuits au fil de la plume, s'accordant, au prix du sommeil, des milliers d'heures de travail, des dizaines de milliers de lettres, plus d'une centaine d'ouvrages.

Ce lundi de septembre, elle a rompu le rythme ordinaire. Levée au petit matin, elle n'a pas, comme à l'accoutumée, couru les champs en chevauchant la jument Colette. La veille, pour finir en fête le dimanche, elle avait, accompagnée de ses amis du voisinage, fait résonner tard les sabots de sa monture dans les rues en pente de La Châtre. Plus d'un bourgeois avait claqué ses volets en pestant contre la troupe bruyante. Aurore, trop connue de ses Berrichons, respectée comme une aristocrate, suspecte comme une déclassée, s'était attiré des quolibets étouffés dans le silence de la nuit. Des remarques que nul n'osait proférer à voix claire, mais où elle devinait la rancune aiguë, l'allusion blessante et, de temps en temps, la plaisanterie graveleuse. Ce matin, pendant que femme de chambre et servantes entourent sa grand-mère, elle pourra traîner à son aise, et répondre à Émilie de Wismes dont la lettre est restée ouverte sur son écritoire.

Émilie est la fille du préfet du Maine-et-Loire. La préfecture d'Angers est installée dans un ancien couvent : cloître, salles voûtées, stalles de chapitre, rien ne manque au cadre des rêveries qu'Aurore partage avec son amie dans sa correspondance. « Il me prend quelquefois des envies, quand je suis à cheval, de tourner la bride de Colette vers la route d'Angers, et je ne sais à quoi il tient que je n'arrive en Bradamante* et que tu ne me voies apparaître comme un revenant sous un vieux if dans les ruines du couvent. » Pourtant, la farceuse l'emporte sur la mélancolique, la campagnarde sur la littéraire. Elle propose à Émilie quelques conseils pour amadouer un cheval : « Pour se faire aimer de lui bien davantage, il faut lui donner des restes de côtes de melon. » Et la conteuse apparaît : « J'ai un jeune cheval que je nomme Pépé à cause de son caractère lutin, il mord tout le monde. On pourrait faire une petite collection de tous les doigts, etc., qu'il a presque mangés... J'ai aussi un tout petit taureau noir tout frisé... Il me pousse avec son nez quand je ne lui donne pas assez vite tout ce qu'il

* Héroïne du *Roland furieux* de l'Arioste.

veut. » Mais vite, la pirouette – les facéties des communs de Nohant, dans la grande cour derrière la cuisine, ne sont pas très convenables pour la fille d'un préfet, élevée dans une ruine gothique : « Je suis bien bête de te conter de pareilles *nonsense.* » Elle s'excuse alors de n'avoir pas à écrire, comme Émilie, de « jolies histoires ». Je vis, dit-elle, « au fond de ma tanière. Je m'occupe tant que je peux et je philosophe dans mon petit coin ». Seulement voilà : Aurore revendique hautement ce mode d'existence. Fait-elle de nécessité vertu ? Peu importe. La conclusion de sa lettre laisse poindre les goûts de la future George Sand.

Elle évoque les vers bucoliques de *L'Homme des champs* de Jacques Delille : « Les bois, les champs, les prés, blanchis par les troupeaux... L'enfoncement de l'horizon bleuâtre », et accompagne ces poèmes d'une déclaration péremptoire, comme on n'en a qu'à dix-sept ans : « Je ne pourrais plus vivre à la ville. J'y mourrais d'ennui. J'aime ma solitude passionnément... » Elle se défend pourtant d'être une « sauvage ». Elle veut habiter cette solitude de la campagne avec de bons auteurs : « Quelle conversation vaut celle de mes livres ? »

Aurore, rêve et terre : « Attraper la lune avec les dents », écrit-elle souvent. Mais la glaise du réel colle à ses sabots.

Enfant, raconte-t-elle, quand sa grand-mère s'aperçut qu'elle n'était « jamais malade que faute d'exercices et de grand air », elle prit le parti de la « laisser courir ». La jeune châtelaine faisait « le ravage dans les fossés, sur les arbres, dans les ruisseaux » : « Nous gardions les troupeaux, c'est-à-dire que nous ne les gardions pas du tout. » Elle s'amusait aux cueillettes interdites, aux goûters improvisés, sévèrement punis par Rose. « J'aimais la solitude de passion, j'aimais la société des autres enfants avec une passion égale ; j'avais partout des compagnons. Je savais dans quel champ, dans quel pré, dans quel chemin je trouverais Fanchon, Pierrot, Liline, Rosette ou Sylvain. »

Pourtant, la compagne des petits paysans s'était fabriqué une religion secrète : une divinité qu'elle avait baptisée « Corambé ». « Il était pur et charitable comme Jésus, beau et rayonnant comme Gabriel... Il lui fallait un peu de la grâce des nymphes et de la poésie d'Orphée. » Aurore le parait d'habits féminins, « car ce que j'avais le mieux aimé, le mieux compris jusqu'alors, c'était une femme, c'était ma mère ». Quand Liset – qui rêvait de devenir un jour son « jockey et d'avoir un chapeau galonné » – découvrit dans un fourré l'autel élevé à Corambé, il s'écria : « Ah ! mam'selle, le joli petit reposoir de la Fête-Dieu. » « Le charme fut détruit », écrira George Sand : la petite Aurore rêvait déjà d'un idéal de religion dont l'élévation fantastique ne souffrait pas qu'on osât la comparer avec la religion ordinaire.

Au couvent, entre quatorze et seize ans, elle passa de la diablerie bien réelle aux élans de sainteté. Elle a raconté ces épisodes de sa vie de pensionnaire. Brièvement pour la « diablerie », sachant qu'elle n'était point originale. Le goût de la farce – de la grosse farce – se retrouvera tout au long de sa vie. Elle passe donc vite sur les facéties de l'enfance. « Mettre en commun nos friandises et les manger en cachette aux heures où l'on ne devait pas manger, c'était une fête, une partie fine et des rires inextinguibles, et des saletés de l'autre monde, comme de lancer au plafond la croûte d'une tarte aux confitures et de la voir s'y coller avec grâce, de cacher des os de poulet au fond d'un piano, de semer des pelures de fruits dans les escaliers sombres pour faire tomber des personnes graves. Tout cela paraissait énormément spirituel, et l'on se grisait à force de rire... » Pourtant un mot doit nous arrêter au début de ces confidences. George remarque combien elle avait surtout d'aptitude, en ces moments de légèreté, à se laisser vivre : « Sans réflexion et sans souci de cette vie et de l'autre, je ne songeais qu'à m'amuser, ou, pour mieux dire, je ne songeais même pas à cela ; je ne songeais à rien. J'ai passé les trois quarts de ma vie ainsi, et pour ainsi dire à l'état latent. Je crois bien que je mourrai sans avoir réellement songé à vivre. »

Elle insiste davantage sur ce qui marqua la fin du temps des « diables » : ni plus ni moins qu'une crise mystique, l'été de ses quinze ans ; une visite solitaire à la chapelle du couvent, dans la pénombre d'une soirée ; elle est entrée dans l'église pour se moquer d'une dévote : « Il est assez curieux que la première fois que j'entrai de mon propre mouvement dans une église, ce fut pour faire acte d'indiscipline et de moquerie. » Elle est pourtant saisie par la simplicité du lieu, la beauté des ornements, par le jeu de la lumière douce sur le marbre poli. L'odeur du chèvrefeuille se glisse par une fenêtre ouverte, une étoile s'encadre dans un vitrage : « Les oiseaux chantaient, c'était un calme, un charme, un recueillement, un mystère dont je n'avais jamais eu l'idée. » Entre une religieuse qui se prosterne sous son voile. George décrit alors « un ébranlement », « un vertige », « comme une lueur blanche » dont elle se sent « enveloppée ». Et elle croit entendre dans l'ombre le « *tolle, lege** ». Aurore reste lucide sur l'hallucination : « La foi s'emparait de moi, comme je l'avais souhaité, par le cœur. » Conviction, visions d'idéal, larmes...

George décrira la crise, en reconnaîtra la forme : « Ma dévotion eut tout le caractère d'une passion. » Mais elle sait que la passion est belle, qui entraîne, concluant que s'en défendre serait lâcheté : « Rougir de ce qu'on adore, allons donc ! »

De la diablerie à la sainteté ? La dévotion brûlante qui suivit cette scène allait faiblir. Les petits côtés de la pratique religieuse refroidiraient Aurore : indiscrétion de la confession, étroitesse de quelques prêtres, vulgarité des « offices » à la campagne. Parmi les « beuglements absurdes de chantres inexpérimentés », les « bonnes femmes qui s'endormaient sur leur chapelet en ronflant tout haut », « le vieux curé qui jurait au beau milieu du prône », la jeune fille cherche en vain les émotions de la chapelle des couventines. Quand elle se rendait à l'église de La Châtre, « c'étaient les toilettes provinciales des dames, les chuchotements, leurs médisances et cancans..., la laideur

* « Prends et lis », inscription portée sur un tableau de la chapelle des Augustines, où saint Augustin reçoit un ordre du ciel lui enjoignant de lire les Écritures.

des idoles et les glapissements atroces des collégiens qu'on laissait chanter la messe »... et « tout ce tripotage de pain bénit et de gros sous ». La religion sans beauté, sans grandeur, sans pureté n'intéresse plus Aurore. Pour la première fois, celle qui sera George Sand oppose le culte à la spiritualité, la pratique à la foi.

En cet été 1821, la passion, de religieuse, est devenue intellectuelle. La lettre qu'elle vient d'écrire à Émilie de Wismes en porte témoignage : les joies de la campagne, le cheval, le petit taureau frisé, sans doute. Mais surtout « quelle conversation vaut celle de mes livres ? ». Aurore a hésité avant d'écrire la formule : parlera-t-elle de Stéphane à Émilie ? Ces dernières semaines, Stéphane a pris de plus en plus de place dans sa vie. Les petits paysans de l'enfance sont devenus lointains : leur condition - valet, bergère - les écarte de la jeune fille, même s'ils restent à son service. Les amies du couvent sont dispersées. Le « mentor », le vieux Deschartres qui a élevé le père d'Aurore, continue auprès d'elle une sorte de préceptorat querelleur. Il joue surtout le mur où l'adolescente fait rebondir les balles de sa dialectique. Discussions pour la discussion. Sujets abstraits. Diatribes épuisantes. Pour parler vraiment, elle a rencontré Stéphane Ajasson de Gransagne. Deux ans de plus qu'elle, ces deux ans qui comptent si fort pour le prestige avant vingt ans. Des études scientifiques qui multiplient les découvertes partagées. Partage des chevauchées dans la campagne, partage des connaissances. C'est lui, Stéphane, qui a apporté le petit squelette prêté par un médecin de La Châtre. Deschartres s'en était réjoui : il pourrait ainsi expliquer à Aurore les fractures, les déplacements de ligaments qu'il l'encourageait à soigner avec lui dans les maisons pauvres de villages voisins. Elle a fait entrer le jeune homme dans sa chambre où il a déposé quelques livres de médecine à côté des textes philosophiques empruntés à la grand-mère. Stéphane est beau. Trop fragile sans doute : l'œil brûlant dans un visage émacié. L'entourage d'Aurore le croit phtisique. La jeune fille n'en est que plus émue... beau, intelligent, passionné, et malade ! Lui-même est visiblement amoureux. Provocateur, il multiplie les visites chez Aurore, il fait semblant d'ignorer qu'il compromet une jeune fille en entrant dans ses appartements... même si l'on y cause seulement philosophie et ostéologie.

Stéphane de Gransagne est trop pauvre, d'une famille trop nombreuse, lui a-t-on dit, pour prétendre à sa main. Avant l'attaque qui l'a frappée, la grand-mère d'Aurore l'a entretenue avec fermeté de projets de mariage. L'aïeule avait pensé à sa dot : ce ne serait pas une fortune. Et la vieille Mme Dupin de Francueil ne faisait guère confiance à sa bru pour se soucier avec sérieux de l'avenir d'Aurore. Elle avait donc entrepris, en quête de prétendants, les démarches habituelles à la bonne société de l'époque. Après que la jeune fille eut refusé, choquée même que sa grand-mère eût pu la laisser formuler, l'offre d'un général d'Empire, très riche, mais quinquagénaire, et balafré par-dessus le marché, la maladie avait empêché la marieuse de poursuivre. Un bonheur pour Aurore qui rêvait de passion et non de ménage.

L'amour humain, d'ailleurs, pouvait-il combler le besoin d'absolu qui habitait sa solitude ? La crise mystique du *« tolle, lege »* avait été suivie d'une résolution, entretenue par une sœur converse : entrer au couvent. Les religieuses anglaises – peu mystiques – avaient plutôt cherché à calmer ses ardeurs. S'ouvrit-elle à Stéphane de ses projets de vie religieuse, ou celui-ci interpréta-t-il ainsi l'exaltation de certaines déclarations ? En tout cas, le jeune homme, en voyage à Paris, devait écrire à Aurore une lettre où il exprimait la crainte qu'elle ne choisît le ciel plutôt que lui.

Il n'est pourtant pas très aventureux d'imaginer le trouble d'Aurore à l'égard de l'étudiant. Parmi les hommes qu'aimera George, il en est peu qui échappent à deux caractéristiques : avoir un prestige, d'ordre intellectuel, artistique ou politique – prestige personnel sans aucun rapport avec la gloire sociale – et prêter, par quelque biais, au désir de protection. Goût d'admirer, désir d'aider. Au contact de ses amis de province qui ne partageaient pas sa culture, de ses condisciples du couvent qui se satisfaisaient d'un vernis littéraire, Aurore aspirait à rencontrer, d'abord, l'intelligence. Que cette intelligence ait les traits d'un jeune homme malheureux, parce que pauvre, et le visage ravagé par la maladie... de quoi bouleverser une adolescente qui ne rêve qu'idéal et s'éprouve engluée dans sa solide santé et son bien-être matériel.

La solitude est un bon terrain pour les passions. Et la solitude ne se mesure pas au nombre de personnes qui vous côtoient, mais à la qualité des relations que vous nouez avec elles. Au couvent, Aurore vivait au milieu de compagnes affectueuses, de maîtresses attentives : « Je le dirai encore une fois, au moment d'enterrer ce rêve de vie claustrale dans mes lointains mais toujours tendres souvenirs : l'existence en commun avec des êtres aimables et doucement aimés est l'idéal du bonheur. » Revenue dans la grande maison bourgeoise que les villageois appellent « le château », tout entourée qu'elle est de la présence des domestiques, des visites des connaissances, Aurore est solitaire. Parce que privée des liens précieux qui, jusqu'ici, lui ont servi de référence, ont encadré sa vie.

Elle a à peine connu son père. Il est mort, alors qu'elle avait tout juste quatre ans, d'un accident de cheval. Sa mère, Sophie, a bien vite compris qu'elle ne pouvait rivaliser avec la grand-mère propriétaire du patrimoine de Nohant, comme éducatrice de la fillette. Elle a abandonné la tutelle d'Aurore à Mme de Francueil que la maladie condamne aujourd'hui à une inaction presque totale.

George dira plus tard combien son cœur fut partagé entre les deux femmes : la mère belle, fantasque, si lointaine à Paris, et dont les servantes parlaient avec un mépris à peine retenu : Sophie Delaborde, épouse de Maurice Dupin, n'était que la fille d'un oiseleur, elle avait travaillé de ses mains – comme modiste –, et on lui supposait mauvaise réputation pour que l'héritier de Nohant l'épousât en cachette, quelques semaines avant la naissance d'Aurore. La grand-mère, maîtresse femme cultivée, distinguée, noble... même si certaines de ses origines étaient douteuses. Marie-Aurore de Saxe et Sophie Dupin aimaient toutes deux

Aurore. Chacune à sa façon. La grand-mère reprochait à la mère de n'avoir pour sa petite-fille qu'un amour animal : « Ta mère [...] est si inculte qu'elle aime ses petits à la manière des oiseaux, avec de grands soins et de grandes ardeurs pour la première enfance ; mais quand ils ont des ailes, quand il s'agit de raisonner et d'utiliser la tendresse instinctive, elle vole sur un autre arbre et les chasse à coups de bec. » Elle lui faisait surtout grief de sa condition, et ne s'en priva pas devant Aurore : « Là, elle fut sans pitié et sans intelligence, j'ose le dire, écrira George, car il y a dans la vie des pauvres des enchaînements, des malheurs et des fatalités que les riches ne comprennent jamais. » Sophie se moquait de l'aristocratique famille et des « vieilles comtesses » qui entouraient la grand-mère. Surtout, toutes deux se disputaient l'affection et la formation de l'enfant. « Mes deux mères rivales », résumera l'écrivain.

Depuis les cinq ans d'Aurore, pourtant, sa mère a abandonné la place. Et bonne-maman a pris en main la petite fille, puis l'adolescente. Elle fut mise au couvent, avant ses quatorze ans, pour tenter de discipliner une indocilité par trop farouche, et, plus encore, pour donner à la sauvageonne qu'elle était devenue quelque teinture d'éducation aristocratique. Au couvent des Dames anglaises, les élèves se choisissaient une « mère », une religieuse qui s'occuperait avec plus d'attention du petit groupe qui l'avait élue. L'une d'elles, très tendre, surnommée « Poulette » par les élèves, très « gâte-enfant », comme l'a écrit un historien de ce couvent, devait refuser les trop nombreuses écolières qui aspiraient à devenir ses filles. Aurore adopta – ou fut adoptée par – madame Alicia, « la meilleure, la plus intelligente et la plus aimable... ». Maternité toute spirituelle où George décrira surtout, après avoir pourtant souligné la séduction physique qu'exerçait la religieuse, ses qualités morales : elle avait, « cette personne charmante, quelque chose d'idéal, la dignité britannique sans [...] la raideur, l'austérité religieuse sans la dureté ». Pourtant, la vie dans ce « lieu chéri » qu'était le couvent devait être assez brève, et Mme de Francueil, craignant que l'adolescente ne se laisse gagner par le mysticisme, la reprit à ses côtés.

Marie-Aurore de Saxe, la grand-mère souveraine, a régné sur la vie d'Aurore... Si aristocratique Mme de Francueil. Par ses goûts : elle excellait en tout, commentait les textes de Voltaire, recevait Rousseau en pleurant, chantait Mozart et Pergolèse ; par son mode de vie, occupé aux arts d'agrément, aux lectures de qualité, aux réceptions ; par une certaine manière, très fin XVIIIe siècle, de jouir de toute chose en passant pour nulles les incommodités, en négligeant l'argent qui eût permis d'assurer l'avenir. Parlant de son existence avec un mari de plus de trente ans son aîné, elle avait confié à sa petite-fille : « Votre grand-père, ma fille, a été beau, élégant, soigné, gracieux, parfumé, enjoué, aimable, affectueux et d'une humeur égale jusqu'à l'heure de sa mort. » D'ailleurs, ajoutait-elle, « c'est la révolution qui a amené la vieillesse dans le monde ». Et encore : « C'est qu'on savait vivre et mourir dans ce temps-là [...], on n'avait pas d'infirmités importunes. » Sens des supériorités de castes : « On n'avait pas de ces préoccupations d'affaires qui gâtent l'intérieur et rendent l'esprit épais... » Aujourd'hui, elle n'est plus qu'une vieille dame cassée dans son fauteuil, à la merci des servantes. Aurore est seule, et l'apoplexie qui a diminué l'aïeule prive sa petite-fille de ce bien inestimable : quelqu'un qui vous aime et dont l'intelligence égale le cœur.

Aurore a cacheté l'enveloppe de la lettre à Émilie. Elle tourne, un peu égarée, dans sa chambre. La guitare, la harpe, le piano rassemblés là pour elle sont silencieux depuis des jours. Elle n'ose pas, sans s'assurer qu'elle ne gênera pas la malade, s'adonner à cette musique qu'elle aime tant. Les après-midi, quand il fait beau, on transporte le fauteuil de la grand-mère dans le jardin, sous les fenêtres du salon. Elle reste là de longues heures dans le bourdonnement des insectes comme engloutie dans la contemplation des roses remontantes, des « dahlias » flamboyants, ces fleurs curieuses qu'Aurore a obtenues du « Malgache » Néraud. Aurore, pendant ce temps-là, pourra déchiffrer quelque nouvelle étude, répéter sans se lasser la *Nina* de Paisiello, « Nina ou la Folle par amour ».

Vers qui pourrait-elle se tourner ? Sa grand-mère lui a dit son intention – s'il lui arrive malheur – de la confier au cousin René de Villeneuve, héritier du château de Chenonceaux. L'idée n'en déplaît pas à Aurore. René est venu la rencontrer à Nohant. Il a apprécié que cette petite cousine de province eût comme lui le goût de la belle écriture, qu'elle connût quelques poètes, qu'elle ne dédaignât pas

– à côté des livres – de se mesurer à lui au tir à pistolet, au saut des fossés à cheval. Plus tard, George Sand renouera contact avec ses cousins de Villeneuve ; les lettres qu'elle leur écrira auront toujours un ton particulier : recherche d'un vocabulaire plus raffiné, de sujets plus relevés qu'avec ses autres correspondants ; comme si les habitants de Chenonceaux représentaient pour elle, tout au long de sa vie, le lien avec ses racines aristocratiques. Mais, aujourd'hui, René de Villeneuve est loin, et, s'il a eu la bonté de s'intéresser aux pages qu'Aurore rêve d'écrire, elle n'ose espérer retenir vraiment l'attention de cet élégant quadragénaire.

Les relations aristocratiques : René de Villeneuve, Pauline de Pontcarré. Pauline... Au retour du couvent, Mme de Francueil avait proposé d'inviter à Nohant cette amie de pension d'Aurore. Pauline vint avec sa mère. Aurore avait le goût d'admirer. Elle s'enthousiasma pour Pauline : « Son caractère était charmant, comme sa figure, comme sa taille, comme ses mains, comme ses cheveux d'ambre, comme ses joues de lys et de rose. » Le portrait est trop léché, pourtant, pour qu'on n'y sente pas percer l'agacement à l'égard de cette petite perfection ; et la critique n'est pas loin : « Cette belle indifférente [...] se laissait aimer sans vous rendre la pareille. » Est-il pire défaut, pour la future George, que le manque de sensibilité : « Son cœur ne se manifestait jamais. » Aurore jouait du piano avec Mme de Pontcarré et Pauline. La mère déchiffrait avec les deux adolescentes des opéras de Gluck, « nous accompagnant avec feu et soutenant nos voix de l'énergie sympathique de la sienne ». Elles s'exercèrent ensemble au théâtre et donnèrent à la vieille dame une représentation d'un proverbe. Las ! La trop jolie Pauline faisait de l'ombre à sa compagne aux yeux de la grand-mère. Et Mme et Mlle de Pontcarré quittèrent Nohant. Cette brève amitié avait au moins renforcé Aurore dans le sentiment de sa singularité : elle ne serait jamais de ces femmes qui se confient à la régularité de leurs traits, à l'aisance de leur tournure, pour moissonner les hommages. Elle mépriserait toujours les formes ordinaires de la séduction et de la coquetterie féminines. Aurore se dit laide car elle préfère sans doute ne pas chercher la louange sur un terrain où elle n'est pas sûre de l'excellence. Elle se dit bête plutôt que de prêter le flanc à l'accusation de médiocrité dans les échanges mondains. L'été de ses dix-sept ans, elle goûte avec amertume une solitude orgueilleuse.

Elle a pourtant connu de bons compagnonnages. L'an dernier, tout juste à cette époque, songe Aurore, Hippolyte entamait le congé de trois mois qu'il avait passé auprès des deux femmes. Arrivé en septembre de l'École royale de cavalerie à Saumur, où il enseignait aux aspirants les rudiments de l'art équestre, il avait installé dans la maison sage un désordre joyeux. Hippolyte Chatiron était un demi-frère d'Aurore, le fils de Maurice Dupin. Enfant, elle avait passé des années avec lui sans savoir qu'il était son frère. Un garçon que ni son père ni sa grand-mère paternelle n'avaient voulu voir abandonné à l'hôpital et qui fut élevé « avec autant de soin qu'un fils légitime ». « La mère, Catherine Chatiron, “ fille ”, âgée de vingt et un ans selon l’acte de naissance, n’avait pas été victime de la séduction, écrira George, mais avait cédé comme mon père à l’entraînement de son âge. » Elle avait déclaré ce fils, curieusement, sous le nom de Pierre Laverdure, ajoutant une formule paraît-il fréquente à l’époque : « Fils naturel de la Patrie. » A Nohant, ce nom-là fut vite oublié, et c’est Hippolyte qui avait accueilli Aurore quand son père militaire la ramena d’Espagne. C’est lui encore qui accompagna les jeux de la petite fille. Assumant, plus que de nécessaire, le rôle du bourreau, il infligeait aux poupées d’Aurore des supplices de goût morbide, les pendant aux branches la tête en bas, les enterrant dans le jardin.

L’an dernier, quand il revint pour ce congé, « il était devenu un beau maréchal des logis de hussards », tout auréolé de ses cinq ans de plus qu’Aurore, assez sûr de lui pour parler franc avec Deschartres, et fier surtout de ses talents d’équitation. Il s’était empressé de faire partager ces talents-là à sa demi-sœur, lui enseignant avant tout à maîtriser la peur : « Tout se réduit d’abord à deux choses : tomber ou ne pas tomber. » Aurore fut bonne élève. Elle abandonna la monte en amazone et découvrit les joies des longues chevauchées. Mais Hippolyte était reparti au début de l’hiver. Depuis, elle assurait seule la veille auprès de la malade.

Solitude... lectures difficiles... abus des excitants nécessaires pour ne pas dormir... Aurore avait connu, cette année 1821, pour la première fois, la tentation de la mort. Elle s’en est expliquée longuement dans ses Mémoires. Elle a tenté de démêler les causes qui la poussèrent, un jour où elle rendait visite avec Deschartres à un malade, à se jeter avec son cheval dans un trou de l'Indre. Au vertige de la mort qui avait suscité son geste, au souhait d'en finir qui l'emportait, elle trouva mille raisons : la fatigue sans doute, le manque de sommeil ; mais, tout autant, des lectures romantiques qui exaltaient le sentiment du désespoir : *Hamlet* de Shakespeare, *René* de Chateaubriand, les poèmes de Byron. Deschartres, lui, assista impuissant et furieux à l'épisode de la noyade, dont Aurore fut sauvée grâce à l'instinct de la jument Colette. Cet incident fut suivi, selon George, de longs débats sur le droit moral au suicide. L'écrivain évoque surtout la plupart des occupations de cette fin d'été comme autant de moyens pour lutter contre la fascination de la mort, contre le désir de la disparition dans l'eau que la jeune fille ressentait violemment.

La mort... De la mort à la vie... De la nuit au jour... Aurore rêvait souvent sur le prénom qu'elle avait reçu au baptême : comme une mission de faire lever le jour. Elle en plaisantera, vers ses trente ans, quand, à la fin des longues nuits d'écriture, elle constatera que grâce à elle l'aurore est toujours présente, puisqu'elle ne se couche que lorsque le soleil commence à poindre. Aujourd'hui, elle répète ce prénom de vie quand la mort est par trop présente.

Là-bas, sous un poirier du jardin, le minuscule tumulus élevé treize ans auparavant, « une butte de gazon avec un petit sentier en colimaçon », a disparu, planté de figuiers pendant le séjour d'Aurore au couvent. La jeune fille sait déjà – mais sa mère lui expliquera bien plus tard l'étrange cérémonie qui fut à l'origine de cette tombe – que ce tertre a un rapport avec son petit frère mort. Souvenir enfoui : Aurore n'avait que quatre ans quand a disparu le bébé de six mois, né aveugle (ou rendu aveugle par la faute d'un médecin espagnol, accusera Sophie). Pour un aîné – une aînée surtout –, un cadet qui meurt est toujours une absence et peut-être, en creux, un désir de protection, de maternage, non assouvi. La mort de cet enfant devint, plus que toute autre, irréparable, puisque le père devait le suivre à quelques jours d'intervalle. Le 16 septembre 1808... Hier, toute la journée, Aurore s'est employée à ce que rien ne rappelle à sa grand-mère le sinistre anniversaire. Car Mme de Francueil n'a jamais accepté de perdre Maurice, le père d'Aurore.

George a fouillé, plus tard, les impressions de cette quatrième année qui devaient la marquer profondément : « Quoiqu'elles ne m'aient pas affectée au-delà des facultés très limitées qu'un enfant peut avoir pour la douleur, je les ai toujours vues si présentes aux souvenirs et aux pensées de ma famille que j'en ai ressenti le contrecoup toute ma vie. » La fin de l'année 1808 fut sans doute, à Nohant, période de ténèbre. Maurice Dupin avait participé dans l'armée napoléonienne à la guerre d'Espagne. Il en était rentré sain et sauf. Mme de Francueil avait cru dissipées ses inquiétudes. Une simple sortie à La Châtre. Un cheval trop fougueux. Un monceau de pierres et de gravats mal éclairé au tournant de la route. Une chute brutale. Et la mort presque immédiate. Des jours de pleurs, de cris, de deuil. Une fillette qui ne comprend guère l'absence prolongée du père après celle du petit frère, les contes à dormir debout des servantes qui racontent avoir vu le fantôme du disparu...

Lourd fardeau que d'être le substitut d'un mort : « Ma grand-mère s'attachait à moi chaque jour davantage, non pas sans doute à cause de mon petit caractère, qui était encore passablement quinteux à cette époque, mais à cause de ma ressemblance frappante avec mon père. Ma voix, mes traits, mes manières, mes goûts, tout en moi lui rappelait son fils enfant, à tel point qu'elle se faisait quelquefois, en me regardant jouer, une sorte d'illusion, et que souvent elle m'appelait Maurice et disait " mon fils " en parlant de moi. » A travers l'affection d'Aurore, grand-mère et mère se disputaient l'amour du disparu. Partagée entre ces deux femmes, la petite fille, l'adolescente ressentit vivement ce trop-plein d'amour dont elle n'était pas vraiment l'objet.

Aujourd'hui, Mme de Francueil s'en va... Aurore sait bien que la fin n'est pas très lointaine. La chaleur de l'été a semblé accorder un sursis à la vieille dame qui a paru sortir de sa léthargie : elle a dicté à sa petite-fille des lettres pour les connaissances, pour les amis. Quelques après-midi, elle a pu causer si bien que des visiteurs ne comprenaient pas pourquoi on avait brossé un tel tableau de sa maladie. Pourtant, dès le crépuscule, la confusion s'empare à nouveau du cerveau atteint, et Aurore vit, continuellement, dans la menace de cette mort proche. Mgr Leblanc de Beaulieu – « mon oncle par bâtardise, écrira joliment George Sand, né des amours très passionnées et très divulguées de mon grand-père Francueil et de la célèbre Mme d'Épinay » – est venu passer près de deux mois à Nohant. Il a réussi à administrer à une Mme de Francueil, pourtant très lucide et très critique à l'égard des pratiques religieuses, le sacrement des mourants. Au moment où Aurore commence à la comprendre, sa grand-mère s'en va.

Longtemps, la petite fille a pris le parti de sa mère écartée par l'ancêtre autoritaire. Secrètement, elle a regretté le pauvre appartement de Paris, approuvé les critiques portées par Sophie au mode de vie aristocratique de Nohant. Elle partageait l'ironie à l'égard des « vieilles comtesses », méprisait la futilité de leurs travaux d'aiguille, de leurs rites mondains. Elle en voulait à l'aïeule de son injustice à l'égard de la semi-prostitution où la pauvreté avait entraîné Sophie avant sa rencontre avec Maurice Dupin. Aujourd'hui – parce que la fin est proche –, elle cerne mieux les contrastes étranges de Mme de Francueil, ces contrastes où elle pressent peut-être les contradictions qui vont marquer sa propre vie. « J'arrivais, écrira George, à avoir le secret de ses douces faiblesses maternelles... Femme nerveuse... qui ne faisait souffrir que parce qu'elle souffrait elle-même à force d'aimer, femme supérieure... par son instruction, son jugement, sa droiture, son courage dans les grandes choses. »

N'est-ce point d'elle-même qu'elle rêve, lorsque, évoquant la grand-mère retrouvée, George écrira, se penchant sur l'Aurore de dix-sept ans : « Un jour vint où nous changeâmes de rôle, et où je sentis pour elle une tendresse des entrailles qui ressemblait aux sollicitudes de la maternité »... et l'ancêtre dont accouche alors la petite fille, celle qu'elle se résout à accepter comme auteur de ses jours, de sa formation, de son éducation, elle tente de l'inscrire dans une formule. Écoutons bien : « Je débrouillais enfin cette énigme d'un cerveau raisonnable aux prises avec un cœur insensé. »

2

Mardi 22 janvier 1828

Nos rossignols ne songent qu'à leur nid et les soins du ménage ont fait cesser l'amour et les chansons.

« Années » de brume, vie corsetée dans des modèles étriqués, essais d'échappée...
Autoportrait, musée La Châtre.
Cl. Françoise Foliot.

MME Casimir Dudevant a passé la journée entre la cuisine et sa chambre. Quelquefois, une jeune servante vient frapper à sa porte, chercher une consigne. Quelquefois, Aurore se précipite vers la cuisine à travers le hall glacé par la bise d'hiver.

Fumet des viandes marinées, du bouillon et des herbes. Planches à découper et hachoirs en batterie, terrines vernies chemisées de languettes de lard, truffes émincées sur des assiettes blanches. Dominant le tout, les jattes de gibier découpé, à l'odeur fade. Sur l'énorme fourneau noir, la marmite chuchote : on y prépare la gelée. Aurore a demandé à Marie qu'elle lui entrouvre le four ; la cuisinière attend un avis, puis montre à sa maîtresse, sur le coin du bahut, une tarte aux pommes et un petit chausson « pour monsieur Maurice ». Déjà, posés sur les marches de l'escalier de bois adossé au mur, cinq pâtés refroidissent. Aurore, d'un doigt précautionneux, en tâte la température. « Vous ne mettrez de gelée que dans les terrines larges, suggère-t-elle. Les pâtés qui vont voyager seraient trop fragiles. N'en touchez pas le couvercle. Dites qu'on prépare l'emballage pour six heures. Nous le mettrons à la diligence pour Paris. » Elle sort, revient précipitamment, serrant son châle sur ses épaules. « Avant de fermer la caisse, passez me voir : je veux qu'on ajoute sur le dessus une petite enveloppe pour ma mère... deux ou trois dessins », explique-t-elle comme pour s'excuser.

« Dans les commencements de mon mariage, a écrit George plus tard, j'avais la volonté de complaire à mon mari et d'être la femme de ménage qu'il souhaitait que je fusse. Les soins domestiques ne m'ont jamais ennuyée et je ne suis pas de ces esprits sublimes qui ne peuvent descendre de leurs nuages. Je vis beaucoup dans les nuages, certainement, et c'est une raison de plus pour que j'éprouve le besoin de me retrouver souvent sur la terre. »

Pourtant, en ces débuts d'année 1828, Aurore supporte mal son existence de jeune mère de famille. De Maurice, son fils de quatre ans et demi, elle écrit à sa mère qu'il est « sa consolation dans la retraite » où elle vit. Elle ajoute : « Il m'est si nécessaire que sans lui je ne passe pas une heure sans m'ennuyer. »

Autrefois, les journées étaient toujours trop courtes. Elle enchaînait les veilles au chevet de sa grand-mère, et elle avait coutume alors de lire, d'écrire, de travailler une partie de la nuit. Depuis son mariage, elle sombre en léthargie. Elle écrit, à propos d'une invitation : « Je meurs toujours de peur... de me coucher tard. Vous savez que mon suprême bonheur est de manger beaucoup, beaucoup dormir. » La torpeur a gagné Mme Dudevant.

Est-ce la faute de Casimir ? Elle éprouva pour le jeune homme un coup de cœur. Elle rappelle leur première rencontre, en compagnie de la famille du Plessis chez laquelle elle était hébergée. Ils dégustaient une glace sur le perron de Tortoni, boulevard des Italiens, au sortir du spectacle. Casimir apparaît. « Un jeune homme mince, élégant, d'une figure gaie et d'une allure militaire. » A l'« entrain », la bonne humeur, la « camaderie tranquille » des premiers contacts, avait succédé un engagement que le jeune homme « peu disposé à la passion subite, à l'enthousiasme, et dans tous les cas inhabile à l'exprimer d'une manière séduisante » décrivait comme « le bonheur domestique ». Ce choix de sentiment calme avait rassuré Aurore. Elle aspirait, elle aussi, après les tempêtes passionnées de l'adolescence, après les orages dramatiques entre ses deux mères, à une existence pacifiée dont le couple et les enfants du Plessis donnaient un exemple attirant. Le jour où il fut agréé comme son futur mari, elle nota, sur son inséparable calepin : « 7 ou 8 heures du soir... bonheur inouï. » A cet homme âgé de neuf ans de plus qu'elle, elle écrit, dès qu'il s'éloigne et durant les premières années de leur union, des câlineries amoureuses où l'adjectif « petit » est largement présent : « mon bon petit ange », « mon cher petit mimi », « mon petit amour »... On sourit, l'esprit trop plein de la future George Sand.

Entre eux, déjà, les différences se sont révélées. Elle a abandonné le piano qui faisait fuir Casimir. Il s'endormait sur les livres qu'elle chérissait. Il se méfiait, ou se moquait, des sentiments qu'exaltaient chez

Aurore les auteurs dont elle faisait sa compagnie. Qu'à cela ne tienne. La jeune femme était décidée à être bonne épouse. « Je résolus de prendre tes goûts. » Oubliant ce qu'elle adorait, se confinant aux occupations de femme d'intérieur, de maîtresse de maison, elle finit par abhorrer cette existence. Sans crise. Sans éclat. En sombrant, petit à petit, dans ce brouillard épais qu'ont connu tant de femmes à l'âge de leurs maternités.

Les années de brume. Tentant de retrouver, dans *Histoire de ma vie,* le cours des sept ou huit années qui suivirent son mariage, George écrirait : « J'ai dû esquisser rapidement ces jours de retraite et d'apparente inaction [...]. L'action de ma volonté y fut si intérieure et ma personnalité s'y effaça si bien, que je n'aurais à raconter que l'histoire des autres autour de moi. » Mme Dudevant ou comment une femme s'efface...

Le mardi 22 janvier 1828 sera, n'en doutons pas, une journée bien pleine : jeux avec le petit Maurice ; attention à la mise en conserve des gibiers rapportés par le garde champêtre et de quelques bestioles de la basse-cour ; lettre à sa mère : « Je mets à la diligence d'aujourd'hui, ma chère maman, une caisse contenant un pâté de lièvre et de perdrix... » ; visite de Stéphane qui devait porter le colis et ne s'en chargera pas - il entreprend un trop long périple par Tours et par Vendôme ; reprise minutieuse des dessins, encadrement du portrait de son petit « brigand » - puisqu'elle joint ces pièces-là à l'envoi pour Paris... Le rite des repas... Les heures hachées par la surveillance de l'enfant... Ce 22 janvier est plein de vide.

En fait, ce ne serait qu'un jour parmi les autres, si Aurore n'était rongée d'inquiétude. Ses ordres vont à la cuisine, ses sourires au petit Maurice, ses réponses laconiques à son mari, à ses visiteurs, mais l'esprit est ailleurs. Comme si Aurore se retournait vers elle-même.

La jeune femme ne cesse pas d'être malade. Ou de se sentir malade. Malgré les difficultés du voyage, elle vient de passer, le mois dernier, près de trois semaines à Paris pour consulter des médecins. Ce devait être un bref séjour, mais « les ministres, note-t-elle, sont, je crois, moins difficiles à aborder » que les docteurs. Elle verra pourtant des sommités, dont le fameux Broussais. Elle s'étonne qu'on ne lui trouve « d'embarras ni dans le cœur ni dans les poumons ». En somme, les avis médicaux la disent assez bien portante. Mais elle ne pourra – durant ces dix-huit jours – réussir à voir ses parents, ses amis : pas même le vieux Deschartres, le précepteur de la jeunesse, dont elle s'accuse d'avoir perdu l'adresse. Pendant ce séjour-là, elle envoie à Casimir quelques lettres essoufflées où elle conte ses difficultés à obtenir les rendez-vous, son impossibilité à rencontrer qui que ce soit d'autre. Pourtant, elle évoque plusieurs fois la présence des frères Ajasson de Gandsagne : Jules et Stéphane ; la nécessité de faire concorder la date de son retour avec le leur retardera plusieurs fois la rentrée à Nohant.

Que de protestations de tendresse pour s'excuser ! Le 12 décembre : « A tout instant mes pensées se reportent vers Nohant et j'ai le cœur serré sans que *rien* [souligne-t-elle] puisse me consoler ou me distraire. » Le 13 décembre : « J'ai une impatience inexprimable de retourner vers toi. Tout ici m'ennuie et me fatigue. Rien ne peut remplacer Maurice dont la société continuelle m'est si nécessaire. Mes visites ne sont pas des plaisirs pour moi mais des obligations. » Le 14 décembre : « N'ayant pas avec moi ma petite famille, le temps me dure et l'inquiétude me galope. » Les médecins lui conseillent de se faire enlever les amygdales, pour éviter ses fréquentes « esquinancies » (comme on disait alors pour les angines) ; ses amis la pressent de suivre cette indication ; mais il faudrait rester ensuite huit jours à Paris : elle écrit à Casimir qu'elle refuse l'opération pour revenir plus vite. Nouvelle contrariété : la diligence est pleine pour quatre ou cinq jours. Le départ sera encore retardé : Mme Dudevant rachète son absence en promettant des cadeaux à Maurice : « un beau ménage, un lancier, une arche de Noé et un pigeon superbe »... puis « un fusil, un sabre et un violon » !

Revenue à Nohant, Aurore renoue avec l'ennui. Elle a bien essayé – avec Casimir à qui la bonne volonté ne fait pas défaut – de s'étourdir un peu. Ils ont loué une maison à La Châtre pour recevoir avec plus de facilité la société des alentours bloquée par les mauvais chemins pendant l'hiver. Aurore donne des bals. Elle invite beaucoup, trop sans doute au regard d'une province jalouse. Provocatrice, elle mêle volontiers les différents étages d'une société où l'on respecte avant tout les titres, la hiérarchie et les secrètes connivences qui font les strates et les castes. L'année suivante, un bal à la sous-préfecture allait donner lieu, par la volonté d'Aurore, à un « scandale fort comique » : coexistaient alors à La Châtre deux ou trois sociétés qui, de mémoire d'homme, ne s'étaient mêlées à la danse. « Les distinctions entre la première, la seconde et la troisième étaient fort arbitraires, et la délimitation insaisissable pour qui n'avait pas étudié à fond la matière. » Par goût de la farce, Aurore communiquera, en les mélangeant, des listes de ces différentes « sociétés » au sous-préfet de La Châtre nouvellement nommé. Les aristocrates, les bourgeois, de simples maîtres de musique se retrouveront face à face dans les salons officiels... « comme des œufs dans le même panier ». Aurore rira si fort qu'elle composera avec son complice, l'avocat Duteil, une chanson sur l'air des *Bourgeois de Chartres*.

On n'est pas toujours gai quand on se livre aux grosses farces. Aurore n'est pas gaie. Elle a commencé, sur le coin de son secrétaire, une lettre à Zoé Leroy. Car, depuis un certain voyage dans les Pyrénées – l'été 1825 –, depuis la rencontre avec un certain Aurélien, Zoé est de toutes les confidences. Aurore lui avait permis de lire son journal : « Je n'ai jamais eu de mère, ni de sœur, pour sécher mes larmes. L'amitié compatissante que vous m'avez témoignée me faisait tant de bien ! Quel charme doivent trouver deux femmes à gémir ensemble. » C'est à Zoé qu'elle écrivait ses doutes sur l'éducation des filles : « Je me suis dit longtemps que les connaissances profondes étaient inutiles à notre sexe, que nous devions chercher la vertu et non le savoir dans les livres. »

Curieuses phrases encore sur les rossignols de son jardin : « Je ne connais pas de peine que ceux de Nohant ne sachent endormir, pas d'impatience qu'ils ne calment. » Mais elle ajoutait - et l'allusion n'était que trop claire : « Malheureusement nos rossignols ne songent qu'à leur nid et les soins du ménage ont fait cesser l'amour et les chansons. » Plus tard, elle se lamentait encore : « Je n'ai ni sommeil, ni appétit. Tout me dégoûte et je ne trouve de bon que l'eau claire... La nuit j'ai des oppressions insupportables. » Elle décrivait à son amie son confinement, l'étroitesse de ses horizons : « Je doute que tout cela vous intéresse beaucoup, car c'est toujours la même chose le soir, le matin, la veille, le lendemain, un jour, un an, c'est toujours le même train de vie, les mêmes soins, les mêmes occupations... J'ai perdu le goût des grandes choses... à présent je m'en vais au petit trot avec un chapeau de paille rond, et on me prend plutôt pour la femme de quelque meunier que pour la dame fringante d'autrefois. »

Lorsque la lettre à Zoé sera définitivement écrite, on y lira : « Je ne mérite plus l'amitié de personne. Comme l'animal blessé qui meurt dans un coin. Je ne saurais chercher d'adoucissement et de secours parmi mes semblables. » Mme Dudevant a passé une frontière. L'insipide compte des jours de ces dernières années s'est mué en destin. Les femmes connaissent cette manière-là d'égrener les calendriers avec joie ou dans la terreur. Le mois de janvier 1828 n'est pas celui des bals. Il n'est pas celui des travaux domestiques. Maurice, le délicieux Maurice, « mince comme un fuseau, mais droit et décidé comme un homme », n'occupe plus l'horizon. Jour après jour s'impose l'évidence. Aurore attend un nouvel enfant. Et cet enfant-là n'est pas celui de Casimir. Mme Dudevant n'est pas encore la George libre et décidée, bravant le regard de ses contemporains. Elle sait que son mari saura. Elle sait que l'ami de cœur, Aurélien, saura. Elle sait que Zoé saura. Et elle vit cette naissance de plus en plus probable de la manière la plus banale qui soit : dans la honte, la culpabilité, le désir de masquer à tout prix une réalité inacceptable.

S'il n'y avait, au moins, que Casimir. Il a de bonnes - ou de très mauvaises - raisons de pardonner un écart à sa femme. Les hommes ont de multiples manières d'échapper à l'enfermement conjugal. Aurore n'apprendra que plus tard les frasques de son mari - et avaient-elles commencé avant la naissance de Solange ? Pourtant, dès l'hiver 1827-1828, on peut penser qu'elle ne jugeait pas son époux très différent des bourgeois de La Châtre pratiquant à l'envi la « double morale ». Elle a eu, d'ailleurs, ces mots désabusés : « [Les hommes] ne peuvent pas comme nous s'enterrer dans la solitude, il leur faut du mouvement, de l'occupation - et vouloir les astreindre à nos goûts paisibles, ou partager les leurs, ce serait vouloir changer leur sexe ou le nôtre. » Quand il s'est intéressé à la politique, elle l'a laissé, indulgente, se piquer de « remuer l'État ». « Il faut m'ennuyer depuis une semaine, écrit-elle en novembre 1827, avec des gens occupés de politique et d'élections, que je comprends fort peu, mais qu'il faut avoir l'air de comprendre sous peine d'impolitesse, et devant qui il faut s'intéresser prodigieusement au succès de choses dont on entend parler pour la première fois. Casimir avait l'air tout le temps d'un chef de parti et, grâce à leurs efforts, des députés parfaitement libéraux ont été nommés dans tous les collèges environnants. » Surtout, Casimir boit de plus en plus ; et Aurore n'a guère de considération pour un homme qui cultive les jobardises masculines et se laisse gruger en affaires quand il est pris de boisson.

Mais Casimir n'est pas seul à pouvoir la juger. Aurore pense à Aurélien. Quand la maison de Nohant retentit des éclats du mari et du frère - Hippolyte Chatiron -, quand elle se sent « lasse d'une gaieté sans expansion, d'un intérieur sans intimité, d'une solitude que le bruit et l'ivresse [rendent] plus absolue », elle se réfugie dans sa « petite chambre ». Elle la partage avec un interlocuteur, « un rêve qui avait pris l'importance d'une passion, non pas dans ma vie, puisque j'avais sacrifié ma vie au devoir, mais dans ma pensée ». « Un être absent » avec lequel elle s'entretient sans cesse. Aurélien de Sèze. Aurore et Aurélien se sont rencontrés pendant un voyage à Canterets, l'été 1825. Le jeune substitut au tribunal de Bordeaux avait vingt-six ans, Aurore vingt et un. C'était le fils de l'ancien recteur de l'académie de Bordeaux, le neveu du défenseur de Louis XVI. Il était cultivé, séduisant... sans doute aussi quelque peu séducteur. Aurore fut d'abord flattée par cette cour. Vint le trouble ; et tous les minuscules événements d'une rencontre amoureuse.

Cette expédition vers les Pyrénées était, hormis les allées et venues à Paris de son adolescence, la première grande sortie de la jeune femme. C'était aussi son premier voyage de femme mariée. Maurice avait deux ans. Elle tint, des étapes et du séjour, une relation quotidienne qu'elle devait reprendre dans ses Mémoires.

Départ mélancolique. Aurore se sent malade : « Toux opiniâtre », « battements de cœur ». Comme tous ses contemporains, elle pense à la terrible « phtisie ». Au moment de quitter Nohant, elle écrit : « Adieu Nohant, je ne te reverrai peut-être plus ! » A peine arrivée en Limousin (après une journée de trajet – tout juste trente kilomètres après Limoges, du Berry à Châlus), elle fond en larmes avec ses domestiques. Elle lit quelques pages d'Ossian. Nous avons du mal à saisir le pathos qui entourait ainsi un voyage d'agrément à l'époque romantique. Pourtant, un soupçon d'énergie inspire à Aurore de fermes résolutions : « Ne pas m'inquiéter du moindre cri de Maurice, ne pas m'impatienter de la longueur du chemin, ne pas me chagriner des moments d'humeur de mon ami. » Las ! Arrivée à Périgueux, la voici de nouveau en pleurs : « J'en suis triste à la mort. J'ai beaucoup pleuré en marchant. » L'approche des Pyrénées rend Casimir de plus en plus maussade : « Il s'ennuie en voyage, il voudrait être arrivé. » Elle s'en irrite : après tout, le choix du Sud-Ouest tenait en bonne part à M. Dudevant, originaire de Gascogne ! Aurore, elle, se déride. Le goût du pittoresque l'emporte sur la mélancolie. A partir de Tarbes, elle décrit les maisons de galets et « cet amphithéâtre de montagnes blanches » qui « se rapproche et se colore ». En bonne touriste du XIXe siècle, elle éprouve « l'effroi » de rigueur devant les torrents, les sommets et les précipices. Et elle a cette remarque qui, mieux qu'un long discours, peint à merveille l'attente d'émotion : « Tout cela m'a paru horrible et délicieux en même temps. J'avais peur, une peur inouïe et sans cause, une peur de vertige et qui n'était pas sans charme. »

Le vertige espéré, Aurore le connaîtra dans ces Pyrénées admirables. Pour les cimes, et pour Aurélien. On chercherait pourtant en vain ce dernier dans le long récit de voyage que contient *Histoire de ma vie.* La montagne renouvelle pour la jeune femme l'attirance mystique éprouvée auprès des religieuses anglaises. « Vivre ainsi dans la solitude des monts sublimes, dans la plus belle saison de l'année, au-dessus, moralement et réellement, de la région des orages ; être seul ou avec quelques amis de même nature que soi, en présence de Dieu ; être assez aux prises avec la vie physique, avec les loups et les ours, avec les périls de l'isolement et les fureurs de la tempête, pour se sentir, en tant qu'animal soi-même, ingénieux, agile, courageux et fort ; avoir à soi les longues heures de recueillement, la contemplation du ciel étoilé ; les bruits magiques du désert, enfin ce qu'il y a de plus beau dans la création unie à la possession de soi-même, voilà l'idéal qui succéda, dans ma jeune tête, à celui de la vie monastique et qui la remplit pendant de longues années. » A l'opposé, elle méprise les distractions mondaines de la station thermale : les soirées où l'on veut qu'elle chante ; le rite des « eaux » : « Quand je me vis après une douche écrasante, enveloppée de couvertures comme une momie, emballée dans une chaise à porteurs, et ramenée dans ma chambre avec injonction de me coucher pendant le reste de la matinée, je crus que j'allais devenir folle et j'entrai en révolte ouverte. » Elle dédaigne la vanité des sœurs Bazoin, ses anciennes compagnes de couvent qu'elle est venue rejoindre.

Elle, Aurore, tient son journal. A côté des envolées notées plus haut, on admire l'apprentissage de la description qui devait nourrir de tant de pages les romans de la future George. « Les robustes bergers, bronzés par le soleil et plus semblables à des Arabes qu'à des Français... les grands chiens des Pyrénées... qui, à la manière des taureaux de race pure, ont la tête, l'encolure et les épaules disproportionnées en raison du train de derrière, qui semble évidé pour la course. » Au passage aussi, amères et laconiques, quelques remarques sur un mari qui sépare ses joies de celles de sa femme : « Monsieur chasse avec passion. Il tue des chamois et des aigles. Il se lève à deux heures du matin et rentre à la nuit. Sa femme s'en plaint. Il n'a pas l'air de prévoir qu'un temps peut venir où elle s'en réjouira. »

D'Aurélien, point. Et pourtant ! Quelques mois plus tard, en novembre, Aurore, devant la mésentente installée dans son ménage, rédigera pour Casimir une « confession » de dix-huit pages où le voyage aux Pyrénées se confondra avec la rencontre d'Aurélien de Sèze. La « confession » s'imposait, même si elle n'avait pour but que de clamer l'innocence : à plusieurs reprises, Casimir avait surpris des scènes, ou lu des lettres, qui ne laissaient guère de doute sur l'amour d'Aurore et d'Aurélien. Le long texte écrit par Mme Dudevant à son mari, dans la propriété familiale de celui-ci, à Guillery, en Gascogne, est un monument à bien des égards.

Monument d'habileté à retourner l'accusation : « Tu étais un peu coupable à mon égard – coupable n'est pas le mot... tu fus, si j'ose le dire, la cause innocente de mon égarement. » Cette cause est claire : Casimir ne sait pas se faire aimer. Il fut indifférent : « Il arrive un âge où l'on a besoin d'aimer exclusivement. Il faut que tout ce qu'on fait se rapporte à l'objet aimé. On veut avoir des grâces et des talents pour lui seul. Tu ne t'apercevais pas des miens. » Il ne s'est intéressé ni aux livres, ni aux musiciens, ni à aucune des passions qui captivaient Aurore. Dans ce voyage aux Pyrénées, écrit-elle, « ma tête s'exalta, mon cœur s'ouvrit à de vives impressions. Je sentis le besoin d'aimer beaucoup, d'admirer avec quelqu'un qui éprouvait autant d'enthousiasme que moi... tu t'ennuyais dans ce lieu que je trouvais si enchanteur ». Elle reconnaît bien la bonté de Casimir, mais cette bonhomie n'est pas à l'aune de ses sentiments à elle : « Je sentis en moi un inconcevable désir d'être aimée comme je me sentais capable d'aimer moi-même. »

Et Aurélien entre en scène : « Dès que je vis monsieur de Sèze je le remarquai. » Pas pour son physique, se récrie Aurore. « [...] Je ne suis pas assez frivole pour m'arrêter à ces vains dehors. » Mais pour son esprit, pour sa conversation. Car Aurélien est « sensible, honnête, délicat ». Et il fait la cour à une autre jeune fille. Mme Dudevant est si peu coquette qu'elle s'arrange pour la rapprocher d'Aurélien. Mais il « finit par se plaindre amèrement que je pusse le soupçonner d'aimer une femme aussi froide, aussi médiocre que Laure ». En somme, suggère Aurore, Aurélien est aussi mal assorti à Laure qu'un certain couple...

Monument de chantage à l'affection ensuite : Aurore décrit son trouble, ses tourments, ceux de son soupirant. Elle ne fera pas appel en vain, elle le sait, à la grandeur d'âme de son mari. « [...] Il souffrait... je souffrais... Casimir, mon ami, mon juge indulgent, cesse ici d'être mon époux, mon maître, sois mon père... Oublions ces vains préjugés, ces faux principes d'honneur qui font souvent d'un mari un tyran détesté. Sois généreux jusqu'au bout, que ma sincérité te prouve mes regrets. » A qui s'accuse, comment refuser le pardon ?

Monument d'innocence pourtant : la lettre de la future George laisse bien augurer de la capacité à venir de la romancière. De la rouerie ? La voici qui, en toute ingénuité, donne à voir. En s'excusant, bien sûr. Mais, puisqu'il faut qu'elle s'explique, elle ira jusqu'au bout. Elle ne taira pas le « mouvement irrésistible » qui l'a portée vers Aurélien ; elle décrira par le menu ses efforts pour le retrouver quand, à sa demande, il s'éloignait d'elle. Et la pointe d'orgueil dans tout cela : « Je ne veux point de son amour, me disais-je, mais je ne veux pas qu'il me traite comme une femme ordinaire. Je veux ses égards, son estime ; j'y tiens ; parce qu'il n'est pas non plus un homme ordinaire. » Viennent les détails : « Aurélien était seul avec moi. Un temps délicieux, une retraite sombre... je pleurais en lui parlant. Il ne fut plus maître de lui, il me prit dans ses bras et me pressa avec ardeur. » Aurore proteste encore de la pureté de ces étreintes. Le baiser imploré est donné « sur la joue » !

Monument de cruauté enfin : Aurélien lui écrivait des billets « qui m'enivrèrent de plus en plus ». « Son style était si remarquable », note-t-elle, ajoutant, implacable : « Je pensais avec amertume que tu ne soignais pas le tien... jamais... tu ne m'avais écris un billet qui m'eût consolée et tenu compagnie. » Aurélien lit chaque jour son journal : « Que j'eusse été heureuse de pouvoir chaque soir écrire ma journée, de te la faire lire... » Et le couperet : « Si un autre vous séduit, vous plaît, vous enivre davantage, on n'en est pas moins disposé à le sacrifier, plutôt que de porter atteinte au bonheur de l'autre. On aime l'un *davantage,* souligne-t-elle, on aime *mieux* l'autre. » Casimir devrait bien se contenter de ce mieux-là !

Viennent alors les résolutions : Aurélien s'est engagé à aimer Aurore comme une sœur. « Je finirai par vous aimer si purement, aurait-il déclaré à Aurore, que vous pourrez dire à votre mari : j'aime Aurélien, et Aurélien m'aime aussi. » M. Dudevant se doit donc d'être à la hauteur de ces deux partenaires-là : car la jeune femme en est déjà à remercier le ciel : « Mon époux, au-dessus de ces fausses obligations qu'un sot et absurde principe d'honneur impose aux hommes, ne craint pas de passer pour un mari trompé, ma parole lui suffit. » Et comment ne pas la suivre dans les décisions qu'elle s'impose : elle ne verra pas Aurélien cet hiver, elle veut prendre des leçons de langues avec son mari, lui suggère de lire « beaucoup d'ouvrages utiles... tu m'en rendras compte. Nous causerons ensemble après ». Bref, « nous serons heureux, paisibles, nous bannirons les regrets, les pensées amères. Ce sera à qui s'observera le plus pour être parfait ».

Casimir ne devait guère tenir les résolutions que sa femme avait prises si allègrement pour lui. Il ne devint ni plus cultivé, ni plus attentif, ni plus sobre, ni, sans doute, plus fidèle. Restait Aurélien que, plusieurs années durant, Aurore allait aimer en secret... « l'être absent ».

Le jugement d'Aurélien obsède Aurore, en ce mois de janvier 1828, où elle se rend à l'évidence : elle attend un enfant. Elle a placé sur un piédestal l'homme rencontré à Canterets. « Ne sachant à quoi dépenser la puissance de mon âme, je la prosternai aux pieds d'une idole créée par mon culte », écrira-t-elle dans *Lélia*. Elle a voulu entre eux un amour éthéré, idéal, où ne se rejoignent que les esprits, un amour qu'elle a dû lui promettre exclusif. Casimir trompé ? Bah ! Elle a des excuses. Mais Aurélien trompé ? Comment supporter son regard ?

Dans huit mois, Solange va naître. Les historiens ont disputé sur la paternité de la petite fille. Avec cette sorte de passion dans la condamnation ou l'approbation que George Sand eut l'art de déchaîner. Le meilleur de ses connaisseurs, Georges Lubin, ne paraît plus guère douter de la responsabilité de Stéphane Ajasson de Grandsagne. Peu importe. Qui s'intéresserait encore à ce type de procès ? Aurore Dudevant vécut cette période dans un dégoût de la vie proche des tentations suicidaires. Dans la peur. Dans la honte. Avec toutes les ruses ordinaires pour cacher ce qu'elle ne pouvait avouer : quand Aurélien viendra la visiter - inquiet - l'été 1828, elle lui annoncera des couches anticipées. Elle triche sur les dates comme elle a triché sur la nature du voyage à Paris de décembre 1827. Double raison de se sentir coupable : elle s'est laissé entraîner, et elle doit mentir.

Aurore a revu avec assiduité Stéphane durant l'automne 1827. Ballet de ménage à trois : Casimir s'en va à Paris en octobre. Stéphane, qui y habite depuis qu'il travaille à divers projets scientifiques, se retrouve, lui, en Berry. Il vient souvent en visite à Nohant. Casimir rentre en novembre. C'est Aurore qui parle de partir. Elle est malade, se plaint-elle. Comment trouver, en province, les spécialistes qu'elle devrait consulter ? Puisqu'une femme ne voyage pas seule, elle fera le trajet vers la capitale en compagnie d'un frère de Stéphane, Jules Ajasson de Grandsagne. Elle ne devait être absente que quelques jours ; elle s'attarde. Ce passage à Paris, nous l'avons noté, est plein de rendez-vous manqués, de diligences impossibles. Pas de lettre à Casimir sans allusion à Stéphane. Des biographes écriront qu'elle prévenait ainsi les délations auprès de Casimir. Peut-être. Mais cela vaut pour le mari, non pour l'ami platonique de Bordeaux. Or celui-ci fait remarquer à Aurore, non sans quelque ironie, qu'elle se répète un peu à propos de ce Stéphane-là : « Votre histoire de Stény est fort intéressante... mais je la connaissais ; je vous l'aurais racontée presque mot pour mot sauf quelques détails... et cette histoire, savez-vous qui me l'a racontée ? C'est vous. » Avec indulgence, il soulignera plus tard le caractère un peu démoniaque qu'Aurore avait dû prêter à son ami : « Votre Stény est un véritable fou mais je ne sais pas pourquoi je l'aime beaucoup. Il y a beaucoup d'autres fous de par le monde dont je n'en pourrais dire autant. » Lorsque Aurélien proposera de rendre visite à Aurore, l'été 1828, sans se douter, semble-t-il, que la naissance soit aussi proche, il écrira encore : « [Stény] est le plus aimable homme du monde et si son portrait est vrai, si vous ne l'avez pas paré de vos plumes, ce sera le premier auquel je vous demanderai de me présenter... »

Il est difficile d'apercevoir ici de la rouerie. Stéphane est partout dans sa correspondance parce que la jeune femme en est tout simplement amoureuse. Et, comme toute amoureuse, elle ne peut s'empêcher de citer son nom à tort et à travers. Avec une petite différence, cependant, sur le lot commun : elle aperçoit sa faiblesse au moment où elle s'y abandonne, elle renchérit pour la justifier, et ne se pardonne pas des entraînements dont elle voit trop bien la cause. Aurore est toujours idéaliste, toujours mystique ; elle aspire sans cesse à un amour débarrassé des contingences charnelles, comme celui qu'elle s'efforce d'entretenir avec Aurélien... par correspondance. Avec Stéphane, pour la première fois dans sa vie de jeune femme, elle fugue, elle se cache et elle ment.

Car Mme Dudevant s'est comportée, dans toute cette histoire, comme bien d'autres épouses de la bourgeoisie aisée de province, trop instruites, trop éveillées pour se confondre tout à fait avec les tâches de maîtresse de maison. Trop exigeantes pour se contenter de la vanité des occupations mondaines. Mais interdites d'accès à l'indépendance, à la création. Il restait les enfants, sans doute. Mais la fortune et les domestiques délivraient des soins astreignants, et l'éducation sérieuse, l'acquisition des connaissances étaient très tôt confiées aux précepteurs, aux gouvernantes, ou aux pensions. Les hommes vivaient leur vie : chasse, voyages, pour les uns, occupations savantes pour d'autres, libertés prises avec les maîtresses et les servantes. George Sand dira l'injustice de ce partage, la dépendance et l'inutilité des existences féminines. Aurore n'en est pas encore là. Elle ne répugne pas aux travaux que l'on attribue d'ordinaire à son sexe. Avant la naissance de Maurice, elle s'est initiée à la couture : « Je n'avais jamais cousu de ma vie... quand cela eut pour but d'habiller le petit être que je voyais dans mes songes, je m'y jetai avec passion... je fus bien étonnée de voir combien cela était facile ; mais en même temps je compris que là, comme dans tout, il pouvait y avoir l'invention et la maestria du coup de ciseaux. Depuis j'ai toujours aimé le travail à l'aiguille, et c'est pour moi une récréation où je me passionne quelquefois jusqu'à la fièvre. » Et elle critique les bas-bleus qui voient dans ces occupations la marque d'un esclavage. « Leur influence n'est abrutissante que pour celles qui les dédaignent et qui ne savent pas chercher ce qui se trouve dans tout : le bien-faire. » Avec obstination, Aurore cherche à « bien faire » ; elle offre fréquemment à ses amis ces cadeaux de confiture ou de pâtés qu'elle envoie aujourd'hui à sa mère.

Il reste que la jeune femme, pétrie de mysticisme, de lectures philosophiques et poétiques, vit à l'étroit entre mari, enfant trop jeune et domestiques. Parmi ses biographes les plus célèbres, d'aucuns ont voulu voir, dans la recherche d'aventures des années qui vont suivre, le signe de l'insatisfaction physique éprouvée auprès de Casimir, le signe même de l'incapacité de satisfaction. Une Aurore frigide aurait produit la George Sand donjuanesque et ravageuse.

Ni les roucoulades auprès du jeune mari, ni les tentations dans les bras d'Aurélien, ni la liaison avec Stéphane ne paraissent très glacées. Quand une femme – au XIXe siècle – entend exister, tout simplement, quelle porte s'ouvre pour elle ? La réussite professionnelle ? Sûrement pas, puisque ne travaillent, au sens le plus ancien du supplice inévitable, que celles qui ne peuvent échapper à la misère. Les sciences ? La politique ? La création artistique ? Peut-être pour quelques privilégiées des grandes capitales. Pour les autres, il reste ce domaine où les hommes leur reconnaissent royauté : l'amour, sexe ou tendresse. Il faut être bien homme pour ne pas reconnaître dans les premiers écarts de Mme Dudevant vis-à-vis de la morale conjugale les efforts banals d'une épouse bourgeoise pour tenter de vivre. George obtiendra vraiment son indépendance plus tard, en écrivant. George Sand sera un nom de plume, pas un nom d'opérette.

En janvier 1828, Aurore n'a pas encore gagné sa liberté. Plus glissent les jours, plus elle doit se convaincre que la liaison avec Stéphane ne sera pas sans lendemain. Qu'il va lui falloir répondre de cet entraînement pour un être qu'elle a aimé parce qu'il était un peu fou, un peu marginal, que son visage était ravagé, et qu'elle l'avait pris en pitié. Lui vit dans les livres. Lui découvre, invente. Elle a partagé quelques jours avec ce fiévreux, elle se retrouve en son Nohant paisible, avec l'odeur de terrines qui flotte dans l'escalier, avec les lettres qu'elle n'ose plus écrire, avec, si loin, l'ami qui la plaçait si haut et ne comprendra pas.

Quand on aime quelqu'un, il faut l'aimer tout entier. Les femmes aimeront aussi cette madame Dudevant qui fut menteuse par terreur avant de provoquer ses contemporains par sa sincérité. Elles lui sauront gré d'avoir connu, avant les nuits d'écriture, avant les rencontres explosives et les livres à brassées pleines, cette existence envahie de vide, où le cœur cogne trop fort d'aimer en vain.

Années de brume, vie corsetée dans des modèles étriqués, essais d'échappée par le brillant des fêtes, par les tromperies sordides. Aurore, Lucile, Amantine Dupin, Mme Dudevant, eut mal à en étouffer ces années-là. Enfuis la jeunesse et l'idéal du couvent, loin le bel Aurélien et l'idéal de l'amour... Le goût du suicide aux lèvres, Aurore connut ces jours maudits où l'esprit se perd dans le ventre des femmes. Pour son bonheur, pour le nôtre, elle allait refuser tous ces enfermements.

3

Mercredi 15 avril 1835

Que faire de notre force, où la mettre ?... Aimer, c'est de tout ce que nous connaissons ce qu'il y a encore de plus large et de plus ennoblissant... Bah ! Vive l'amour quand même !

Tout ce qu'on m'impose comme devoir me devient odieux [...]. Ce n'est pas du monde, du bruit, des spectacles, de la parure qu'il me faut, c'est de la liberté.

« Séduction irrésistible, réputation sulfureuse, George est "trop"... »
Dessin de Musset, coll. Lovenjoul, Chantilly.
Cl. Françoise Foliot.

« Si tu n'étais pas si différent de moi à tous égards, t'aimerais-je autant ? »

George écrit... nuit de printemps sur le jardin de Nohant. Rossignols. Hier, avant-hier, plume brûlante, elle s'adressait à la Nature : « Brise printanière, que racontes-tu aux jasmins de ma croisée ? » Elle ose aujourd'hui prononcer le nom qui l'émeut, elle engage un dialogue imaginaire avec l'homme qu'elle commence d'aimer : « Éverard... Éverard... » Si Éverard lui demandait : « Suis-je pour quelque chose dans vos discours ? », elle se précipiterait : « Il n'est guère question que de toi. Les membres ne peuvent guère oublier le cœur où reflue tout leur sang. Avant de te voir, cela m'impatientait au point que j'ai pris le parti d'aller te trouver. »

Expliquera-t-elle à ce Michel de Bourges, qu'elle a surnommé Éverard, le personnage de George auquel Aurore a donné naissance il y a trois ans déjà ? « Je n'ai nulle espèce d'ambition, et le tout petit bruit que je fais comme artiste ne m'inspire aucune jalousie contre ceux qui ont mérité d'en faire davantage. » Son interlocuteur l'interrogerait sur ses idées ? sur ses choix ? Doit-il la confondre avec ses personnages ? « Quelques personnes qui lisent mes livres ont le tort de croire que ma conduite est une profession de foi, et le choix des sujets de mes historiettes une sorte de plaidoyer contre certaines lois... ma vie est pleine de fautes... » « Les passions et les fantaisies m'ont rendu* malheureux à l'excès dans des temps donnés. Je suis guéri radicalement des fantaisies par l'effet de ma volonté, je le serai bientôt des passions par l'effet de l'âge et de la réflexion. » Aurore-George n'a pas encore trente et un ans. La voici aux prises avec les masques de ses personnages, avec les visages multiples qu'elle s'est créés. La nouvelle passion surgit déjà entre les lignes de cette lettre à Éverard. Mais son auteur, comme à tant de moments de sa vie, est entre deux amours, entre deux livres, entre deux pages d'écriture, une nuit entre deux jours.

George a vécu si vite, depuis ses vingt-cinq ans. Ruptures. Départs. Naissance d'un écrivain. Turbulence des amours. Faut-il citer dans le désordre ? Tant de biographes ont fait le compte des passagers dans le cœur de George. Tant de critiques se sont essayés à commenter son œuvre. J'ai choisi de la regarder vivre, ce jour d'avril 1835, parce qu'elle me semble à l'un des tournants surprenants de son existence.

George a rompu avec Musset le 6 mars. Une der-

---

* A partir de l'adoption de son pseudonyme, George emploie tantôt le féminin, tantôt le masculin, pour se désigner.

nière fois, après les flambées successives d'une passion qui avait duré deux ans. C'est elle qui est partie. Elle a juré de ne plus revenir. Un mois plus tard, elle rencontre Louis Chrysostome Michel, un avocat célèbre pour ses idées d'opposition au régime monarchique, connu sous le nom de Michel de Bourges. Ces quatre jours de printemps, entre le 7 – jour de la rencontre – et le 11 avril – jour de la « lettre à Éverard » – en disent long sur la vie enfiévrée de la nouvelle George.

Il est un mot qui fut introduit dans les dictionnaires en 1835 : « épater »... J'imagine que George ou ses amis durent l'employer pour décrire l'effet brutal que produisirent l'un sur l'autre l'homme de loi et la romancière. Ce mot de 1835 exprime si justement les sentiments mêlés que cette femme de trente ans nous inspire ! Dans ces années-là, elle est impressionnante. Les enfants d'aujourd'hui diraient qu'elle est « trop ». Elle est trop tout. La rapidité. L'abondance. La violence. Les contradictions. Logique et passion. Travail et attente. Force et faiblesse. En cinq ans, elle a écrit plus de dix ouvrages : après la collaboration avec Jules Sandeau pour *Rose et Blanche,* ont paru *Indiana, Valentine, La Marquise, Lavinia, Lélia, Aldo le Rimeur, Le Secrétaire intime, Métella, Garnier, Léone Léoni, André, Jacques,* les cinq premières *Lettres d'un voyageur,* le *Poème de Myrza...* Contes rapides pour quelques-uns de ces titres, ouvrages majeurs – et longs ! – pour *Indiana, Lélia, Jacques...* Les aventures avec Sandeau, avec Musset, avec le docteur Pagello ramené d'Italie, l'épisode plus provocateur qu'émouvant avec Mérimée ont défrayé la chronique parisienne. Sans le sou, elle a trouvé le moyen d'organiser avec éclat son départ pour Venise en un temps où le moindre déplacement coûtait fortune et efforts démesurés. Durant ce voyage, soignant un Musset qui délirait de fièvre, nouant avec le médecin appelé à son chevet les prémices d'une idylle, elle envoie à son éditeur quelque trente-deux pages par jour. Et lors des séjours à Paris, comme elle se veut aussi bonne mère que femme libre, elle garde près d'elle la petite Solange tout en veillant de loin sur l'éducation de son fils aîné, à qui elle choisit précepteur et méthode de lecture. Comme on ne prête qu'aux riches, la rumeur publique transforme en amants tous les hommes plus ou moins jeunes qui l'entourent d'amitié, de conseils littéraires ou de camaraderie. Séduction irrésistible, réputation sulfureuse, George est « trop » !

En ces années de jeune et éblouissante maturité, Mme George Sand est difficile à saisir. Comme la vie. Elle a décrit elle-même « la femme » à propos de Noémie, l'héroïne d'*Indiana* : « Ma Noémie, c'est la femme faible et forte, fatiguée du poids de l'air, et capable de porter le ciel, timide dans le courant de la vie, audacieuse les jours de bataille, fine, adroite et pénétrante pour saisir les fils déliés de la vie commune, niaise et stupide pour distinguer les vrais intérêts de son bonheur, se moquant du monde entier, se laissant duper par un seul homme, n'ayant pas d'amour-propre pour elle-même, en étant remplie pour l'objet de son choix, dédaignant les vanités du siècle pour son compte et se laissant séduire par l'homme qui les réunit toutes. »

George et Michel sont « épatés ». Lui est connu

pour ses talents oratoires, mais réserve d'ordinaire ses qualités pour le prétoire. Or, le soir où Fleury et Planet, deux amis de Mme Dudevant, emmènent celle-ci rencontrer l'avocat, il va se dépenser, déployant ses dons de conviction comme si la séduire était devenu plus important que tout. Elle a remarqué d'emblée, raconte-t-elle dans *Histoire de ma vie,* « la forme extraordinaire de sa tête ». George s'est enthousiasmée depuis peu - à travers la lecture de Lavater - pour la phrénologie, cette discipline qui prétend déduire la personnalité de la forme du crâne. « Il semblait avoir deux crânes soudés l'un à l'autre, les signes des hautes facultés de l'âme étant aussi proéminents à la proue de ce puissant navire que ceux des généreux instincts l'étaient à la poupe. » Elle conclut - et l'amour doit bien être à part égale de la physiognomonie dans le diagnostic : « Intelligence, vénération, enthousiasme, subtilité d'esprit étaient équilibrés par l'amour familial, l'amitié, la tendre domesticité, le courage physique. [...] Éverard était une organisation admirable. » Car George a « baptisé » Michel de ce nom d'Éverard qui sera, trois jours plus tard, celui du personnage auquel elle envoie la sixième *Lettre du voyageur,* que nous citions précédemment. Elle ne voit qu'un manque à cette superbe machine : la santé. Et elle le décrit, précocement usé « malgré une vie sobre et austère ». Elle se dit bouleversée, atteinte comme elle ne pouvait l'être que par la conjonction de l'admiration et de la pitié. Ne faut-il pas que la tendresse se donne ainsi, face à l'objet placé si haut dans l'estime, des raisons d'exercer quelque pouvoir ? « Ce fut précisément cette absence de vie physique qui me toucha profondément [...] [cette] belle âme aux prises avec les causes d'une inévitable destruction ? »

Ici, comme au premier jour du coup de foudre pour Aurélien, George se défend de subir une attirance qui ne serait que physique. Éverard « n'avait que » trente-sept ans, note-t-elle, mais « son premier aspect était celui d'un vieillard ». Elle n'a pourtant pas manqué de remarquer « sa belle figure pâle, ses dents magnifiques et ses yeux myopes d'une douceur et d'une candeur admirable à travers ses vilaines lunettes ». Michel de Bourges et la romancière vont se lancer dans une sorte de parade intellectuelle où le verbe, la pétillance de l'esprit, la logique implacable, la force des convictions feront office de plumage. « Épatés » aussi, les habitués de Michel de Bourges qui ne reconnaissent pas leur austère ami devenu - pour la seule George - éblouissant. Comme des collégiens, ils passent toute la nuit de leur rencontre à s'accompagner, puis à se raccompagner, d'une porte à l'autre... en parlant, en parlant... A peine quittés, ils s'écrivent... Non contente des lettres envoyées directement à son destinataire - et c'est, je crois, pour Michel de Bourges, que George Sand écrira ses plus belles lettres d'amour -, elle compose à son adresse au long des nuits d'avril le texte que nous lisions plus haut. Il se termine par ces mots : « Toi, maître, adieu ! Sois béni de m'avoir forcé de regarder sans rire la face d'un grand enthousiaste et de plier le genou devant lui en m'en allant. »

George qualifiant un homme de « maître »... et « pliant le genou ! » Contradiction : le même jour, ou presque, elle écrit à Adolphe Guéroult, qui voudrait l'entraîner à partager ses convictions saint-simoniennes : « Je reste convaincu qu'il n'y a pas sous le ciel d'homme qui mérite qu'on plie le genou devant lui. Mettez-vous au service d'une idée, et non pas au pouvoir d'Enfantin. »

Surtout, nous sommes à un mois tout juste de cette fuite de Paris – le 6 mars 1835 – qui lui avait permis d'en finir avec les derniers mois de passion pour Musset. « Tout cela, vois-tu, c'est un jeu que nous jouons. Mais notre cœur et notre vie servent d'enjeux, et ce n'est pas tout à fait aussi plaisant que cela en a l'air », disait-elle au poète, fin janvier 1835. Après avoir cherché à prolonger, à renouer, c'est elle qui était partie, sans avoir le courage d'une dernière explication, tellement elle se sentait faible. Et elle se jurait de ne plus succomber aux flambées amoureuses. Deux jours avant ce départ, elle confiait, désabusée, à Sainte-Beuve : « Non, non, ni celui-là ni l'autre. Ni l'amour tendre et durable, ni l'amour aveugle et violent. Croyez-vous que je puisse inspirer le premier, et que je sois tentée d'éprouver le second ? Les deux sont beaux et précieux, mais je suis trop vieille pour les deux... je n'ai plus... ni foi, ni espoir, ni désir. »

Rentrée à Nohant, elle s'est consacrée à Solange ; elle a écrit à Maurice, resté à Paris en pension : « Nohant devient bien joli, il y a des fleurs partout et j'en ai rempli ma petite chambre. Je fais des jardins sur ma table. Je vais arranger le tien et y faire planter des fleurs d'automne, afin que tu le trouves bien joli aux vacances. » Mais, à Sainte-Beuve encore, elle avoue ne pas supporter les joies gracieuses de ce vide : « Que faire de notre force, où la mettre ? Quel emploi avez-vous trouvé à la vôtre ?... Aimer, c'est de tout ce que nous connaissons ce qu'il y a encore de plus large et de plus ennoblissant... Bah ! vive l'amour quand même ! »

Le mot est dit : « Que faire de notre force ? »

George, depuis 1830, s'emploie à se dépenser. Aux tentations suicidaires de 1828 avait succédé, en 1829, une frénésie d'occupations vaines et folles. La jeune mère de Solange avait multiplié les farces, les provocations, les pitreries. Avec une gaieté sinistre, elle courait de bal en bal, se moquant des bourgeois qui l'invitaient, versifiant des chansonnettes avec ses amis berrichons. De dolent, le style des lettres était devenu moqueur. Elle composait des missives émaillées de patois, elle contait ses fredaines : « Courses à cheval, visites, soirées, dîners, tous les jours ont été pris et nous avons beaucoup moins habité Nohant que La Châtre et les grands chemins. » Elle s'échappait en cachette pour un voyage à Bordeaux où elle rencontrait Aurélien. Elle notait, avec humour : « J'ai le cerveau plus creux qu'une citrouille avec laquelle on a fait la soupe pendant quinze jours », et constatait, parler de terroir à l'appui, la vanité de son existence : « Avec cette vie de sart de rin* que nous menons, il n'y a pas sur toute la surface de la terre un être jeune ou vieux, mâle ou femelle, plus occupé que moi. J'avais un arriéré immense à réparer, arriéré

---

* En berrichon : « qui ne sert à rien ».

général, universel, depuis les confitures jusqu'aux sciences sublimes auxquelles je m'adonne, les arts que je cultive... Le tout, étendue sur un canapé, un livre ou une plume à la main, dormant ou ronflant suivant le plus ou moins de zèle et d'inspiration que le Ciel m'envoie au milieu de ces travaux. » Celle qui n'était encore qu'Aurore Dupin, baronne Dudevant, bâillait d'ennui et pétillait d'humour. « Que faire de notre force ? »

L'année 1830 lui a apporté la réponse. Cette active choisira le joli prétexte d'un jeune amant pour rompre une bonne fois avec le destin qui paraissait lui être préparé. Pour rejoindre l'amant, il lui faudra gagner sa vie. Pour gagner sa vie, elle tentera d'écrire. Perdu l'amant ? Peu importe. L'écrivain, elle, était née. Bien malin qui dira la cause de cette transformation d'Aurore en George. L'amour ? Le besoin d'argent ? Le « goût artiste » ? Les trois sans doute, tellement mêlés entre ce 30 juillet 1830 qui voit sa rencontre avec Jules Sandeau – sur fond de révolution parisienne – et le mois de mai 1832 où paraît *Indiana,* le premier grand roman que signe, seule, George Sand. Roman salué avec respect par la critique. Même le rude Henri de Latouche, le conseiller difficile des débuts, succombe : « Votre livre est un chef-d'œuvre. J'ai passé la nuit à le lire... Balzac et Mérimée sont morts sous *Indiana.* Ah ! mon enfant, que je suis heureux ! »

Sa force, dorénavant, elle sait où la placer. Elle a eu le courage, la première, de casser une situation conjugale qui se perdait dans les mesquineries quotidiennes, les aventures parallèles et les mensonges. Entre Casimir et Aurore, plus d'amour depuis si longtemps ! Faut-il, comme elle le racontera pour les nécessités du procès en séparation, faire remonter la faille à l'incident lointain d'une gifle infligée, en public, par un mari rendu irritable le jour où, animée d'un reste d'enfance, Aurore troubla sa digestion en jetant du sable dans son café ? Faut-il, comme le suggèrent tant de biographes, accepter simplement la thèse de la mésentente physique ? S'il y eut des « torts réciproques » - comme on dit -, des infidélités de part et d'autre, le ménage aurait certainement pu durer très longtemps dans une tolérance - au sens le moins pieux et le plus piteux du terme - établie depuis des mois. Aurore décida d'en finir et trancha net dans un contrat qui lui ménageait pourtant des libertés. Elle trancha pour gagner son indépendance plus que pour officialiser une liaison. Il faut lire cette lettre à sa mère, écrite en mai 1831 : « Pour moi, la liberté de penser et d'agir est le premier des biens. Si l'on peut y joindre les petits soins d'une famille, elle est infiniment plus douce, mais où cela se rencontre-t-il ? Toujours l'un nuit à l'autre, l'indépendance à l'entourage, ou l'entourage à l'indépendance... Moi, je ne sais pas supporter l'ombre d'une contrainte, c'est là mon principal défaut. Tout ce qu'on m'impose comme devoir me devient odieux [...]. Ce n'est pas du monde, du bruit, des spectacles, de la parure qu'il me faut... C'est de la liberté. Être toute seule dans la rue et me dire à moi-même : " Je dînerai à 4 heures ou à 7 suivant mon plaisir ; je passerai par le Luxembourg pour aller aux

Tuileries au lieu de passer par les Champs-Élysées, si tel est mon caprice, voilà de quoi m'amuser davantage que les fadeurs des hommes et les raideurs des salons. " »

Le premier article de cette liberté conquise, c'est la possibilité de quitter Nohant et ses chaînes journalières. Aurore - George Sand rêvera toujours de « partir ». En février 1830, elle écrivait à Gondouin Saint-Agnan : « J'ai bien des projets de voyages en tête. Dieu sait lequel l'emportera. Ces projets-là se font dans ma cervelle une guerre enragée. » Au mois de mai, de Paris, elle veut se rendre à Bordeaux et s'en explique à son mari : « C'est un mouvement de bisque et de chagrin qui me donne l'envie et le besoin de remuer. » Partir... rêver... rêver de partir. « C'est si commode de rêver qu'on prend la lune avec les dents », confie-t-elle à Charles Meure avant de lui décrire tous les voyages qu'elle voudrait entreprendre, mêlant possible et impossible.

Elle ne sera pas longtemps absente. Sans doute a-t-elle lancé à Casimir comme un ultimatum : « Je veux une pension et j'irai à Paris pour toujours, mes enfants resteront à Nohant. » Elle transige vite. Loin d'elle la pensée de se couper de ses racines, d'abandonner son cher Berry, de ne pas continuer à s'occuper de Maurice et de Solange. Mais elle impose son droit à goûter de la vie parisienne, elle choisit cette existence d'allers et de retours qui va durer près de cinquante ans : Paris-Nohant, Nohant-Paris. C'est elle encore qui en prescrit le rythme : trois mois ici, trois mois là-bas.

Pendant les séjours à Paris, il faut bien vivre. Casimir attribue à Aurore une pension. Elle est insuffisante. Mme Dudevant n'a jamais su serrer les cordons de la bourse. Dès le début de son mariage, elle a échoué à faire correspondre ressources et dépenses dans la gestion du ménage. Son mari, pour la distraire, a multiplié les achats coûteux, couvert les frais de voyage en région parisienne quand Aurore et lui s'ennuyaient trop en Berry. Mais les moyens du couple ne permettent pas d'assumer le surcoût d'une vie séparée.

Aurore assume avec gaieté la nécessité de gagner sa vie. Je gagerais même que cette perspective est pour beaucoup dans l'exaltation heureuse qu'elle manifeste : elle répète à l'envi, au début de ses années d'indépendance, qu'elle écrit pour des raisons alimentaires. « Je ne crois pas, mon cher enfant, dit-elle à Boucoiran, à tous les chagrins qu'on me prédit dans la carrière littéraire où j'essaye d'entrer. Il faut voir et apprécier quels motifs m'y poussent et quel but j'y poursuis. Mon mari a fixé ma dépense particulière à 3 000 francs... Je songe donc uniquement à augmenter mon bien-être par quelques profits, et, comme je n'ai nulle ambition d'être connue, je ne le serai point. » Aurore-George se défendra toujours de la vanité littéraire. En février 1831, encore : « Vous vous trompez [...] bien si vous croyez que l'amour de la gloire me possède. C'est une expression à crever de rire que celle-là. » Au moment d'*Indiana,* elle précise à Charles Duvernet : « Le métier d'écrivain, c'est 3 000 livres de rente pour acheter, en sus du nécessaire, des pralines à Solange et du bon tabac pour mon f... nez. » Dans *Histoire de ma vie,* George Sand reprendra cette thèse pour expliquer son engagement dans l'écriture, refusant que des dons exceptionnels ou le mystère d'une vocation justifient sa carrière. « Ne m'appelez donc jamais " femme-auteur " ou je vous fais avaler mes cinq volumes et vous ne vous en relèverez jamais... Depuis que j'ai l'honneur d'être imprimée... je ne me suis pas élevée de la hauteur d'une semelle. Je bois et je mange comme une simple particulière, je torche mes enfants et je lave mes mains comme une personne naturelle. Enfin, je travaille tous les jours à mériter qu'on inscrive sur la tombe vers laquelle je penche (expression romantique) que j'eus toutes les vertus, que je fus bonne mère, bonne fille, bonne épouse, bonne sœur, bonne cousine, bonne tante, et plût à Dieu qu'on pût ajouter bonne grand-mère. »

Inclinons-nous : Aurore écrit donc pour gagner sa vie – puisqu'elle nous l'assure ! Faisant écho à cette image d'elle-même, Alfred de Musset notera, au début de leur amitié : « ... votre cher mépris pour vos livres, que vous regardez comme des espèces de contre-parties des mémoires de boulanger ». N'attendons pas de George la pose littéraire : en quoi elle nous paraît singulièrement plus moderne que les « écriveurs » qu'elle commence à fréquenter. Le goût de vaincre, alors, est peut-être encore plus fort que l'amour d'écrire : « Plus on rencontre d'obstacles, plus on aperçoit de difficultés, plus on se sent l'ambition de les surmonter. » Un mois plus tard, seulement, elle notera : « Mon existence est désormais remplie. J'ai un but, une tâche, disons le mot, une passion. Le métier d'écrire en est une violente et presque indestructible, quand elle s'est emparée d'une pauvre tête, elle ne peut plus s'arrêter. »

Toute sa vie, George Sand sera tenue par des besoins d'argent. Toute sa vie, elle négociera avec acharnement les « traités » avec ses éditeurs. Essoufflée, elle enverra jour après jour, feuille après feuille, les livraisons de ses romans, de ses articles, de ses pièces de théâtre. Pour de l'argent ? Voire... « Je suis dans le coup de feu, dans les délices d'une espèce de fièvre poétique », écrira-t-elle à Helmina de Chézy, en 1835. Elle répétera qu'elle assume cette tâche, forcée par des obligations éditoriales et des nécessités financières. Elle ajoutera pourtant : « La montagne accouchera d'une souris, comme à l'ordinaire, mais la montagne n'en aura pas moins eu le plaisir d'enfanter. »

Aurore a trouvé où placer sa force. Pour les détails, on connaît l'histoire : d'abord la production d'articles pour *Le Figaro* et une collaboration avec son jeune amant, Jules Sandeau, qui aboutit à un premier roman : *Rose et Blanche*. L'activité journalistique est harassante : écriture de commande pour des billets qu'Aurore ne signe même pas. « Ouvrier, journaliste, garçon-rédacteur, je ne suis pas autre chose pour le moment », dit-elle en mars 1831. Mais, avec beaucoup de verve, elle note son plaisir de se voir imprimée, et commentée par « les bons bourgeois du café Conti » : « C'est pourtant moi qu'a fait ce coup-là ! J'en peux pas revenir et j'en ris à me démettre les mandibules. »

Le goût de provoquer pimente encore la joie de voir ses textes circuler entre toutes les mains. S'ils savaient que c'est une femme, une jeune femme, qui écrit. Qu'il serait beau pour son sexe d'essayer des styles interdits : « Ce serait une chose inouïe que de voir une femme jurer au beau milieu d'une lettre. C'est pour cela que j'ai envie d'en essayer pour voir seulement l'effet que cela fera. Eh bien, oui, je dis que ce serait un " sacré métier ". Ma foi, ça ne fait pas si mal, et je ne renonce pas à parsemer mes écrits de quelques épithètes énergiques comme celles-là : ce sera un accident, un arbre mort, un rocher noir dans le paysage, un *lapsus calami* comme vous dites si élégamment. »

Du roman *Rose et Blanche,* elle n'a pas, elle-même, une opinion très élogieuse ; c'est « la plus dégoûtante et la plus ennuyeuse composition que je connaisse », confie-t-elle à son ami Duvernet en novembre 1831. Mais ce premier livre est l'occasion d'inventer avec Jules Sandeau, co-coupable de l'œuvre, la signature commune de Jules Sand. Lorsque Aurore prendra son autonomie, elle gardera ce patronyme de Sand. Mme Dudevant mère s'était indignée à la pensée que son nom pût figurer sur des couvertures de livres : « Une famille dont j'avais trouvé le nom assez bon pour moi, persiflera George, a trouvé ce nom de Dudevant... trop illustre et trop agréable pour le compromettre dans la république des arts. » « Qu'est-ce qu'un nom ? interroge-t-elle. Un numéro pour ceux qui ne font rien, une enseigne ou une devise pour ceux qui travaillent ou combattent. Celui qu'on m'a donné, je l'ai fait moi-même et moi seule après coup, par mon labeur. » Quant au prénom, « je pris vite et sans chercher celui de Georges qui me paraissait synonyme de Berrichon ». Goût de rappeler – par quelque allusion aux *Géorgiques* ? – son attachement à la terre paysanne, à ses sabots. Georges avec s, comme le veut l'orthographe masculine, ou sans s, comme elle s'y décidera petit à petit. Car l'hésitation entre masculin et féminin marque cette période où s'affirme la personnalité de George Sand.

Choisissant de gagner sa vie, d'être journaliste, romancière, Aurore s'était résolue à vivre comme un homme. Dans sa bande d'amis, à Paris, pas de femme : les étudiants de son Berry, quelques collègues de plume. Un pied-à-terre prêté par Hippolyte Chatiron, rue de Seine, accueille leur troupe. Elle habitera, les séjours suivants, quai Saint-Michel, puis quai Malaquais, sans jamais s'éloigner, alors, du centre universitaire et littéraire de Paris. Ses amis et elle se font gloire de vivre de peu, mais comme ils l'entendent : « Soyons artistes quand la fantaisie nous prend d'aller au musée ou à l'opéra. Soyons bourgeois en mangeant nos z'haricots et en babillant au coin de nos tisons. »

Décrivant son logis du quai Saint-Michel, dans *Histoire de ma vie*, George Sand s'attendrit : « J'avais là trois petites pièces très propres donnant sur un balcon d'où je dominais une grande étendue du cours de la Seine, et d'où je contemplais face à face les monuments gigantesques de Notre-Dame, Saint-Jacques-la-Boucherie, la Sainte-Chapelle, etc., j'avais du ciel, de l'eau, de l'air, des hirondelles, de la verdure sur les toits ; je ne me sentais pas trop dans le Paris de la civilisation, qui n'eût convenu ni à mes goûts ni à mes ressources, mais plutôt dans le Paris pittoresque ou poétique de Victor Hugo, dans la ville du passé. » Dès son deuxième séjour, elle amène Solange à Paris avec elle, et Sandeau en partage la garde. Les Mémoires de l'écrivain, s'ils insistent sur la pauvreté de cette époque, en oublient le côté sordide : les supplications au mari pour réclamer l'argent de la pension, ou un petit peu plus, les plaintes dans les lettres à Maurice pour qu'il les transmette à son père... Elle se souvient surtout de l'allégresse de ce grand tournant dans l'existence. Et le personnage de l'écrivain féministe s'ébauche là.

George Sand, au début des années 1830, est un drôle de petit bonhomme. La femme aux formes généreuses photographiée par Nadar alors qu'elle dépassait la cinquantaine encombre notre imagination. Aurore-George est menue, petite taille, petites mains, petits pieds. La minceur n'étant pas encore à la mode, par une sorte de coquetterie retournée, elle se caricature – « l'espèce de créature maigre et noire qu'on appelle vulgairement Mme Dudevant » ou « l'excessive exiguïté de mon individu »... A propos d'un choix de vêtement, elle s'écrie : « Pas de rose surtout, car je deviens furieusement pomme cuite... » Elle plaisante avec sa tante sur la probabilité d'un amoureux. « Il est vrai que je suis si jolie avec des lunettes bleues ! Si vous connaissez quelque beau jeune homme qui aime les figures au safran avec des lunettes et un grand nez plein de tabac... »

C'était Aurore par Aurore. Nous connaissons aussi la version d'Aurore vue par George vingt ans plus tard, dans *Histoire de ma vie.* Elle se croit obligée d'expliquer pourquoi elle choisit, lors de ses premiers séjours parisiens, le costume masculin : par commodité et par esprit d'économie. Le vêtement féminin est coûteux, salissant, encombrant. « J'avais de ces bons petits pieds du Berry qui ont appris à marcher dans les mauvais chemins, en équilibre sur de gros sabots. Mais sur le pavé de Paris, j'étais comme un bateau sur la glace. Les fines chaussures craquaient en deux jours, les socques me faisaient tomber, je ne savais pas relever ma robe. J'étais crottée, fatiguée, enrhumée... » Les hommes, à l'époque, portaient « de longues redingotes carrées, dites à la propriétaire, qui tombaient jusqu'aux talons et qui dessinaient si peu la taille » qu'Hippolyte disait en riant que le tailleur prenait modèle sur la guérite pour habiller tout un régiment. Aurore se fit tailler une redingote grise, un pantalon et un gilet, elle coiffa un chapeau, gris lui aussi, adopta une cravate de laine, se chaussa de bottes où elle se trouvait si bien qu'elle aurait « volontiers dormi avec ». Allégresse d'être à l'aise dans un vêtement commode : « J'étais absolument un petit étudiant de première année... » Joie de la liberté de mouvement retrouvée : « Je voltigeais d'un bout de Paris à l'autre », et plaisir supplémentaire : jouer de tous les quiproquos que suscite ce déguisement... être masculin-féminin. A près de dix ans d'intervalle, par le jeu de cet emprunt d'habit, Aurore-George trompe encore l'adversaire et provoque le bourgeois.

Ceux qui l'ont connue à l'époque ont insisté sur son charme. Jules Janin l'a décrite dans sa *Biographie des femmes auteurs contemporains français :* « un petit jeune homme à l'œil vif et sûr, à la brune chevelure, à la démarche intelligente... souriant, curieux et svelte. »

Gracieuse ou non, elle est libre ! « Je n'étais plus une *dame*, je n'étais pas non plus un *monsieur*... J'étais un atome perdu dans cette immense foule. Personne ne disait comme à La Châtre : " Voilà madame Aurore qui passe ; elle a toujours le même chapeau et la même robe " ; ni comme à Nohant : " Voilà not'dame qui *poste* sur son grand chevau ; faut qu'elle soit dérangée d'esprit pour *poster* comme ça. " A Paris, on ne pensait rien de moi, on ne me voyait pas... je pouvais faire tout un roman d'une barrière à l'autre... Cela valait mieux qu'une cellule. »

« D'une barrière à l'autre », à Paris, ou dans la cellule d'écriture qu'elle reconstitue à Nohant, se protégeant de tous dans la « petite chambre », George Sand usera de la liberté découverte pour travailler beaucoup. Peu de recoins sont aussi émouvants dans la grande maison berrichonne que son « placard-secrétaire » dans l'ancien boudoir de sa grand-mère. On ne le montre aux visiteurs depuis la porte ouverte qu'à travers un jeu de glaces pour que les pas indiscrets ne ternissent pas la belle mosaïque du plancher. L'écritoire ainsi constituée tourne le dos à la fenêtre et au jardin. On y accède par une autre chambre qui fut celle d'Aurore avant que ses enfants, petits, ne la partagent. George Sand a raconté comment elle écrivit des textes adressés à Aurélien, des projets de romans qu'on ne publiera qu'après sa mort, comme *La Marraine*, l'histoire de ce « cri-cri », un grillon, qui lui tenait compagnie durant les veilles studieuses... Là, surtout, elle composa *Indiana*, le livre d'entrée en littérature.

Ce roman avait été une célébration de la femme libre. D'aucuns y virent la naissance d'une théorie refusant les servitudes féminines. L'héroïne du roman, la créole Indiana, ne pouvait être qu'une transposition de l'auteur lui-même. George Sand s'en défendit avec vigueur, saisissant l'occasion de s'expliquer sur sa manière d'écrire et sur sa personnalité à la fois.

Selon elle, une manière d'écrire peu intellectuelle dictée par l'émotion « lentement amassée » tout au long de sa vie : une « sorte de combat [...] me soutint pendant six semaines dans un état de volonté tout nouveau pour moi ». Travail donc, et rude. Mais « tout d'un jet, sans plan..., sans savoir où j'allais, sans même m'être rendu compte du problème social que j'abordais ».

Quant à sa personnalité, elle ne saurait la peindre en un roman. Elle est trop double, trop contrastée : « J'étais d'une étoffe trop bigarrée... » Son côté sérieux est tel qu'elle aurait pu, après l'histoire passionnée d'Indiana, raconter une vie ressemblant à celle « du moine Alexis ». Son côté fantasque, lui, désarçonnerait le lecteur : « Si j'avais pris l'autre face de ma vie, mes besoins d'enfantillages et de gaieté, de bêtise absolue, j'aurais fait un type [...] invraisemblable. » Aurore... moine et clown... Indiana, femme libre, passion généreuse. La statue se construit, ombre et lumière, rêve et réel, lune et sabots.

George, au mois d'avril 1835, à près de trente et un ans, a pris beaucoup d'espace. Surface très réelle de l'œuvre entamée. Surface imaginaire élargie par la rumeur, par les scandales. Même si l'absence de propagation par les ondes médiatiques réduit le phénomène aux cercles d'initiés de l'art et des salons, le nom de George Sand est maintenant associé à d'autres. Oublié, son compagnon de plume, Jules Sandeau. Elle s'était attendrie sur ce jeune homme de dix-neuf ans quand elle en avait vingt-six, jeune homme aux boucles blondes, « le petit Jules », disait-elle à ses compagnons étudiants berrichons. Elle avait partagé avec lui les premiers appartements parisiens et la vie de bohème, ce logis à double entrée permettant de s'enfuir si le mari la visitait inopinément. Sandeau qui à Nohant escaladait sa fenêtre la nuit, s'échappant au matin, « heureux, battu, embrassé, mordu »... Elle se disait « imbécile » de ce jeune amant, se reprochait de l'épuiser !... mais écrivait à Émile Regnault : « Au milieu de ce délire, de ces tourments d'impatience, de ces palpitations brûlantes, le travail marche. J'ai fait d'immenses corrections au deuxième volume... » La collaboration entre les deux écrivains avait produit une nouvelle : « La Prima Donna », publiée dans *La Revue de Paris,* qui valut aux associés les félicitations de Balzac ; elle avait ensuite donné *Rose et Blanche ou La Comédienne et la Religieuse.* Œuvre remarquée, à laquelle on reprocha des passages osés. George se défendra qu'ils fussent de sa main. Jules Sandeau était un peu musard. L'histoire raconte qu'il cherchait aussi les vagabondages amoureux. La passion pour le blondin s'affadit, tandis qu'Aurore prenait conscience de ses forces. Et, seule, elle produira alors *Indiana*, puis *Valentine,* avant de donner naissance, en 1833, au roman philosophique *Lélia.*

Avec *Lélia*, la jeune romancière entre avec fracas dans l'histoire intellectuelle et mondaine de la société parisienne. L'ami Gustave Planche fera éclater une dispute célèbre avec Alexandre Dumas père, qui critique sévèrement George, et ira jusqu'à se battre en duel avec une personnalité hostile au livre. La capitale ne se déplace pas encore à Nohant... Le 19, quai Malaquais où George a déménagé voit pourtant défiler les grands noms de l'époque : Balzac – elle raconte leurs entretiens sur le roman dans *Histoire de ma vie* –, Liszt et Marie d'Agoult, Sainte-Beuve avec qui elle correspond souvent, Lamennais, Geoffroy Saint-Hilaire, Henri Heine... Visiteurs célèbres, correspondants, amis... Passent aussi d'autres personnages aussi illustres dont les relations avec la jeune femme vont défrayer la chronique amoureuse. Amitié tendre – très tendre ? – avec la comédienne Marie Dorval : l'amant de Marie, Alfred de Vigny, professera dès lors une haine jalouse à l'égard de George. Passade scandaleuse avec Mérimée : l'auteur de *Colomba,* alors chef de cabinet du ministre de l'Intérieur, adresse à George des lettres ampoulées qui se veulent tentatrices. Elle, sans doute, se sent gauche, enfermée encore dans son image provinciale. Elle envie la liberté d'allure, la gaieté éclatante de Marie Dorval. Elle se voudrait sans entrave. Elle s'estime froide. Elle espère beaucoup de la rencontre avec ce séducteur patenté. Elle cède.

Fiasco. Provocatrice jusqu'au bout, elle écrit le récit de « la plus incroyable sottise de sa vie », en nommant le partenaire au colporteur de nouvelles le plus bavard de Paris : Sainte-Beuve.

Vient Musset. Le dandy l'agace, mais ses vers l'émeuvent. Le débauché lui répugne, mais il excite sa curiosité. Le jeune blondinet lui paraît, certes, un peu fade, mais il l'aime « comme un enfant »... Avec Alfred de Musset, George Sand réunit trois raisons d'aimer : elle admire, elle s'intéresse et elle prend pitié. A quoi s'ajoute – ce qui ne gâte pas l'affaire – qu'il est amoureux d'elle, qu'il l'écrit, qu'il implore. Sans doute reconnaît-il qu'il s'éprend des jolies femmes « comme on s'enrhume »... Mais ses lettres sont touchantes. Il avait commencé par des protestations d'amitié purement littéraire, des déclarations à l'écrivain : « Il y a sans doute dans *Lélia* des vingtaines de pages qui vont droit au cœur... Vous voilà George Sand : autrement vous eussiez été madame une telle, faisant des livres. » Puis ce drôle de compliment : « Vous me connaissez assez pour être sûre à présent que jamais le mot ridicule de – voulez-vous ? ou ne voulez-vous pas ? – ne sortira de mes lèvres avec vous. Il y a la mer Baltique entre vous et moi sous ce rapport – vous ne pouvez donner que l'amour moral – et je ne puis le rendre à personne. » Il proposait tout de même des visites, mais ce serait « à mon cher monsieur George Sand, qui est désormais pour moi un homme de génie ». C'est pourtant ce même mois de juillet 1833 que Musset écrit l'adorable billet : « Mon cher George, j'ai quelque chose de bête et de ridicule à vous dire... Je suis amoureux de vous », et quelques jours – ou quelques heures – plus tard : « Je vous aime comme un enfant. » Musset admire. Musset implore. Voici George sollicitée d'aimer par un homme qui lui réclame protection et tendresse, sans oublier un instant l'écrivain de valeur qu'il a reconnu en elle. Elle va l'aimer aussi. Dommage : ils ne s'aimeront pas exactement en même temps.

L'histoire de ce couple célèbre est trop connue pour que nous tentions de la conter. Elle fut écrite par les amants eux-mêmes, tour à tour : *La Confession d'un enfant du siècle,* par Musset ; *Elle et Lui,* par George Sand ; à quoi répondirent le *Lui et Elle,* de Paul de Musset – le frère d'Alfred –, le *Lui* de Louise Colet, une autre amante de Musset. Cette romance a tenté bien des plumes, jusqu'au texte sensible de Françoise Sagan en préface à la publication de la *Correspondance entre Sand et Musset.* Contentons-nous de noter. Le départ à Venise. La maladie de George. Et le dégoût inspiré par cette maladie à Musset. Les sorties nocturnes de celui-ci. Puis sa maladie à lui. Ses délires. L'hôtel Danieli voit alors la rencontre de George et du docteur Pagello, appelé au chevet du malade. Nouvelle idylle. George continuera pourtant de soigner Musset. Plus encore : infirmière inquiète du poète, occupée des « commencements » avec le médecin vénitien, elle trouve le moyen d'écrire chaque jour, pour l'éditeur Buloz, les trente-deux pages quotidiennes qu'exige son contrat. Musset rentre à Paris. Elle reste à Venise avec Pagello. « J'habitais une petite maison basse, le long d'une étroite rue d'eau verte, et pourtant limpide, tout à côté du petit pont du Barcaroli », dit-elle dans la notice servant de préface à *André*... « Si mes enfants eussent été en âge de me suivre à Venise, je crois que j'y eusse fait un établissement définitif, car, nulle part, je n'avais trouvé une vie aussi calme, aussi studieuse, aussi complètement ignorée. » Elle reviendra à Paris, bien sûr. Avec Pagello, qu'elle voudra présenter à la société de ses amis. Musset se reprend alors d'amour pour elle. Le trio éclate. Exit le bel Italien. George, follement amoureuse à son tour, pleurera le poète. Ils se retrouveront et se déchireront à nouveau. Elle décidera enfin, en mars 1835, de la rupture finale.

George est entrée en littérature avec *Indiana* et *Lélia*. Elle est entrée en « personnage » avec cette liaison bruyante. C'est une femme de plus en plus mythique que les habitués de Nohant voient revenir de trois en trois mois en Berry. C'est cette femme qu'a rencontrée Michel de Bourges un soir d'avril. Précédée de sa réputation. Michel voulut briller. Elle, épuisée de ses deux ans de combat entre Pagello et Musset, vide du grand amour abandonné, était prête à se laisser séduire. Elle écouta, répondit. Amour de tête, de plume, qui devait se transformer – si nous en croyons les aveux des messages – en l'un des liens les plus brûlants qu'ait connus George.

Pourtant, l'écrivain revenait à Nohant. Pour y trouver la paix. Par goût d'alterner. Pour résumer les appréciations contradictoires de ses lettres, il faudrait préciser qu'elle aimait Nohant à Paris, et Paris à Nohant. A Nohant, elle cherchait la tranquillité, le cercle des amis de toujours, le contact avec la nature :

« On ne vit pas à la ville quand le printemps arrive... Il me semble que mes poumons se dilatent à l'air de Nohant et que, partout ailleurs, j'ai été dans une étuve. » Celle qui écrivait à Paris : « Je vis si vite, je marche comme les autres courent », prend plaisir à retrouver le fil des saisons et du temps. Pourtant, elle maudit la vie provinciale. De Paris, elle faisait signe à Charles Duvernet : « Soyez sûr, mon ami, que *Lélia* n'y fait rien et que je suis toujours Aurore de Nohant-Vic, Saint-Chartier, Montgyvray, l'Ourouer, le Chassain, la Chicoterie, Verneuil, Lys-Saint-Georges, Mers, Montipouret, Barbotte, Ripoton et autres lieux circonvoisins. J'ai eu presque la maladie du pays cette année. » En Berry, elle a bien soin de ne pas confondre sa demeure et la petite ville qu'elle scandalise. « Nohant est toujours tranquille, La Châtre toujours bête, résume-t-elle. Je suis pénétrée de l'impossibilité de vivre heureux à La Châtre, quand on n'est ni vieux, ni père de famille, ni raisonnable par force en un mot... Si les gens n'étaient pas méchants, je leur passerais bien d'être bêtes. Mais pour notre malheur, ils sont l'un et l'autre, et voilà pourquoi la province est odieuse ; il y a un venin caché partout. » George Sand – plus d'un siècle avant la mode des résidences secondaires – a le goût de la campagne et déteste la province, elle chérit le terroir et abhorre ses petites villes. « Ici, l'on est fort tranquille en masse et l'on ne se dispute qu'en famille. Ne pouvant faire d'émeute, on fait des cancans... La peste des petites villes, c'est le commérage, et les hommes s'en mêlent au moins autant que les femmes quand il s'agit d'intérêts politiques. A Paris, on rit de tout ; ici l'on prend tout au sérieux et il y a de quoi crever d'ennui. »

Nohant lui permet pourtant de reconstituer une sorte de société amicale... De Venise, elle a rêvé – dans un courrier à son frère – de « notre vieux nid de Nohant »... « Tu me parais un peu dégoûté du pays, mais il y aura une manière de ne pas trop s'apercevoir de ses désagréments. Ce sera de rester à fumer sur le perron, de bavarder à tort et à travers, et de dormir en chien sur le grand canapé du salon. Venise [...] ne me fait oublier aucune des choses qui me sont chères... » Et, ce mot : « Tâche d'établir une république où nous soyons seulement cinq ou six, libres de vivre ensemble et les uns pour les autres, fais-nous une oasis à la baraque. » Longtemps, George nourrira ainsi un rêve de phalanstère, d'amis resserrés, dans la maison commune ; rêve alterné avec celui de la « retraite », de la « maison déserte ».

Ce jour d'avril 1835, George le passe dans son oasis. Avec les amis de la tribu. Avec ses enfants d'abord, qu'elle n'a guère délaissés malgré l'aventure parisienne. Maurice a douze ans, Solange sept.

Lors du premier séjour à Paris, le petit garçon n'avait pas huit ans. Elle l'avait confié à Jules Boucoiran pour qu'il lui enseigne une méthode de lecture très rapide et très efficace. Elle avait conseillé le précepteur : « Dites à Maurice de m'écrire. Mais laissez-le libre et d'écriture et d'orthographe et de style. J'aime ses naïvetés et ses barbouillages, et je ne veux pas qu'il considère l'heure de m'écrire comme une heure de travail. » De retour à Nohant, l'écrivain débutante s'émerveillera des progrès de son fils : « J'ai trouvé Maurice singulièrement corrigé, augmenté, etc. C'est comme une édition nouvelle. » Au deuxième séjour, elle lui décrit de loin l'appartement parisien où elle réside : « Je suis enfin installée tout à fait chez moi, mon petit amour. J'ai trois jolies petites chambres sur la rivière, avec une vue magnifique et un balcon. Quand tu viendras me voir, tu t'amuseras à voir défiler les troupes et à regarder les pompiers sous les armes... Tu verras aussi les tours de Notre-Dame, qui sont toutes couvertes d'hirondelles. Il y a des figures de diables en pierre tout autour des murs et les oiseaux se cachent dans leurs gueules pour y bâtir leurs nids. » Choisissant les mots compris par lui, elle lui décrit les musées de la capitale, des tableaux célèbres, les jardins d'Étampes : « Boucoiran te dira ce qu'on appelle un jardin anglais. Demande-lui les choses que tu ne comprends pas dans mes lettres. » Des lettres si admirables par leur manière simple et intelligente de parler à un enfant qu'on voudrait en faire des modèles de pédagogie. Des lettres où elle gronde, où elle promet des cadeaux, où elle câline. Chaque fois qu'elle revient à Nohant, elle ne peut trouver que dans le vocabulaire de la passion les mots pour dire la tendresse qu'elle éprouve : « Nous sommes encore tous deux dans la fraîcheur de notre ravissement, comme deux amants qui se retrouvent, nous ne pouvons nous quitter d'un pas. Nous couchons ensemble et quand nous nous réveillons l'un à côté de l'autre c'est comme un rêve. » Pourtant, elle le voudra de plus en plus raisonnable. Il a dix ans et demi quand elle conseille : « Tu dois commencer [...] à comprendre que l'on doit se faire aimer si on veut l'être longtemps. Tout le monde aime les petits enfants. On leur passe tout parce qu'ils sont faibles, qu'ils ont besoin de tout le monde et qu'ils ne comprennent pas s'ils ont tort ou raison de ce qu'ils font. Mais, à mesure qu'ils grandissent et qu'ils deviennent capables de réfléchir, on ne les aime plus, s'ils ne se rendent pas vraiment aimables par eux-mêmes. » Le petit garçon entre dans le jeu et envoie la missive suivante : « Tu me demandes si j'oublie ma vieille mère, non. Je pense tous les jours à toi. Tu me dis de t'écrire, espère que je t'écrirai. Tu me demandes si je suis corrigé de mes caprices d'enfant, oui. » Solange est trop petite, à cette époque, pour recevoir de telles lettres de sa mère. Nous en trouvons une pourtant, très affectueuse, en juin 1834. Mais, surtout, Solange reste la plupart du temps avec George. L'écrivain, encore installée de manière très précaire, a tenu à emmener la fillette avec elle. Sandeau s'est occupé d'elle quand Aurore courait les journaux et les maisons d'édition. Mérimée a eu, un soir, un geste fameux, qui devait afficher son intimité avec la femme-écrivain : au sortir du théâtre, il prit l'enfant dans ses bras et apparut ainsi, « en haut du grand escalier de l'Opéra » devant « tout le Paris élégant », dit un contemporain, « portant sur son épaule la petite Solange, endormie au dernier acte de *Robert le Diable* ».

Certains ont reproché à George Sand d'avoir ainsi fait partager à sa fille la vie de bohème qu'elle avait choisie. En tout cas, en ces années difficiles où elle cherche à exister, à travailler, à écrire, elle manifeste pour Solange et pour Maurice les mêmes sentiments de tendresse farouche, les mêmes inquiétudes, les mêmes soins.

George Sand, à trente ans, veut tout réussir : le talent d'écrivain qu'elle s'est découvert, sa vie de mère, sa vie de femme. Sa vie amoureuse est chaotique : elle se brûle à vouloir aller jusqu'au bout de ses sentiments, de sa sincérité. « Vivre, a-t-elle écrit à Sainte-Beuve, que c'est doux ! Que c'est bon ! Malgré les chagrins, les maris, les ennuis, les dettes, les parents, les cancans, malgré les poignantes douleurs et les fastidieuses tracasseries. Vivre, c'est enivrant ! aimer, être aimée ! C'est le bonheur ! C'est le ciel ! Ah ! ma foi, vive la vie d'artiste. Notre devise est liberté. »

Cette surabondante découvre en Michel de Bourges un homme qui pourrait être son égal, son maître peut-être, en exigences de travail, d'intelligence, de talent. Elle ne sait pas encore que la sensibilité de Michel se satisfait davantage des flammèches de l'ambition politique que des feux de l'amour. Peu importe. Après Musset, avant Chopin, il sera l'un de ses météores. Le personnage, taillé pour servir de modèle aux rêves philosophiques et poétiques, lui aura inspiré aussi des lettres d'amour parmi les plus belles... et pendant deux ans. De ce jour d'avril 1835 où elle trace les premiers mots de la sixième *Lettre d'un voyageur* à ce 1er mai 1837 où elle lui écrit : « Il est sept heures du matin. Je ne suis pas encore couchée. Je passe les nuits à l'ouvrage afin de pouvoir passer les jours avec toi.

Demain soir je te verrai ! Et comme si le ciel, en guerre avec la terre, nc s'humanisait que pour nos amours, le temps est magnifique aujourd'hui, pour la première fois depuis d'interminables orages. La couleur renaît avec le soleil ; la verdure, enveloppée dans les brouillards, éclate ce matin comme si elle était née cette nuit. Les rossignols chantent à gorge déployée. Jamais il n'y en a eu tant dans mon jardin que cette année. L'horizon est pur, l'air est doux, les parfums montent. Je vais te voir ! Je vais à toi pleine de tristesse et d'amour, sûre du présent et non du lendemain, dévorée, dévorée par toi ! »

4

Lundi 6 juin 1842

Un devoir de plus dans ma vie, déjà si remplie et si accablée de fatigue, me parut une chance de plus pour l'austérité vers laquelle je me sentais attirée avec une sorte d'enthousiasme religieux.

« ... penser à ce que rêvait George,
un après-midi de printemps,
en entendant [...] Chopin
aux prises avec une création difficile. »
Peinture de A. Charpentier,
musée Carnavalet, Paris.
Cl. Françoise Foliot.

« MI-LA, mi-la, do-mi, mi-do, ré, mi, mi-la, do, si, si-fa, sol, la, mi-la, mi-la... » George chantonne a voix basse le thème de mazurka que Chopin doit égrener là-haut de la main droite... Thème facile, un peu syncopé, gracieux. Musique d'oasis qui le repose des difficiles variations de la 4e *Ballade en fa mineur*. George chantonne... répétant mécaniquement les notes sautillantes. Elle a descendu sur la pointe des pieds le grand escalier de pierre en forme de cœur. Elle a entrouvert la porte de la cuisine où Françoise se reposait, dos contre la table ; elle a traversé la salle à manger où l'odeur des fruits de midi flottait encore. Elle sort sur le perron, s'assoit directement sur une marche. Au-dessus d'elle, à sa droite, à sa gauche, croulent les roses rouges de l'arceau. George plonge la tête sur ses genoux repliés, a un geste agacé pour les trilles lancés par le piano, juste au-dessus de sa tête.

Hors ce chant, la maison est plongée dans une sorte de torpeur. Chacun s'est retiré dans sa chambre au sortir du repas. L'ami Delacroix, arrivé l'avant-veille, doit être parti discuter avec Maurice dans la soupente des communs où son élève - Maurice a suivi les cours du peintre à Paris - veut aménager pour le maître un atelier. Solange ? Que fait donc Solange ? Elle doit bouder encore. Brusquement cesse la musique. George enchaîne, en colère contre quelqu'un : « Je suis une machine à devoir... Une machine à devoir », répète-t-elle, satisfaite de retrouver la formule familière.

Jamais de cesse. Aujourd'hui, elle est sortie quand même en plein soleil, malgré cette douleur dans les yeux qui lui rend intolérable la lumière. Elle a cumulé tant de veilles. Voilà plus de dix ans qu'elle en plaisante pour ses amis : « Je travaille comme un cheval et je veille comme un chat. » Quand ses enfants étaient petits, ils étudiaient souvent dès le matin dans sa chambre : « On y braille des leçons de latin et d'anglais toute la journée tandis que je dors, car, selon ma coutume, je me couche au grand jour et quelquefois je me réveille en sursaut, au régime direct, ou bien j'entends dans les nuages du sommeil des voix fantastiques qui conjuguent en cœur des verbes réfléchis. » Il lui faut donner des consignes curieuses pour les heures de visite : « Tu me trouveras toujours sortant du lit à trois heures, et tout à fait éveillée à quatre », écrit-elle à Marie Dorval. Plus jeune, elle philosophait sur le bien-fondé de sa vie de noctambule : « Il est deux heures du matin et chacun dort excepté moi. Je vais suivre ce sot exemple, quoique ce soit une grossière et insipide routine que de se coucher et de se lever ainsi alternativement jusqu'à ce que mort s'ensuive. » Ce sujet est devenu tellement connu qu'elle s'en amuse : « Je suis visible, comme les étoiles, de minuit à quatre heures du matin » ou encore : « Tous ronflent quand je vous écris, grâce à mes mœurs de chat-huant. »

Elle contemple les lunettes bleues qu'elle doit chausser si souvent, puis, avec un regard inquiet vers la grande maison derrière elle, les fourre dans sa poche. A Dieu ne plaise qu'elle se montre ainsi devant le grand peintre qu'elle a tellement supplié de venir quelques jours à Nohant. Devant « Chopinet » passe encore... le « petit Chips » est de la famille. Un autre enfant. Elle hoche la tête vers la fenêtre du haut où le piano résonne de nouveau.

« Une machine à devoir ». Ah ! la belle âme qu'affichent tous ces artistes. Tout entiers à leur création. Lorsque Franz Liszt et Marie d'Agoult voyageaient en Italie, elle constatait avec amertume : « Je reçois souvent des lettres de Côme et de Milan... le maestro nage dans la gloire. Moi je nage dans les participes avec Solange, dans les épreuves avec *La Revue des Deux Mondes,* et dans les rhumatismes avec le froid. » Elle ne peut s'empêcher de comparer la liberté d'esprit dont jouit Chopin – liberté qu'elle s'acharne d'ailleurs à lui ménager – et ses multiples servitudes à elle. L'éducation de ses enfants est pour beaucoup dans les tâches quotidiennes : « Je suis écrasée du travail de précepteur », disait-elle quand Maurice atteignait ses quinze ans, et elle se plaignait alors que la profession d'enseignant fût si dévaluée qu'elle dût se résoudre à s'en occuper elle-même. « Vie de travail forcé, de fatigue, de devoir, d'action sans repos... Le seul bonheur que je puisse connaître, c'est de n'avoir pas le temps de penser à moi. » George Sand, en ces années d'éducation de ses enfants, a les expressions des femmes cumulant les doubles journées : « Il faut prendre la plume non pour donner cours à une inspiration poétique comme les bonnes gens se l'imaginent, mais pour gagner le pain de la semaine, payer le tailleur de Maurice, les maîtres de Solange, le pot-au-feu, les nippes – tout cela est de la vile prose, et pour en sortir littérairement, pour monter à ce beau Parnasse dont nous parle Boileau, il faudrait d'autres ailes que le cri de tous les vulgaires besoins de la vie. »

George, a-t-on dit, dès ses vingt-six ou vingt-sept ans, vit comme un homme. Voire. La redingote ne fait pas le privilège. Elle mène ses aventures amoureuses, sans doute, sans la coquetterie, sans les manèges de la séduction féminine. Eugène Delacroix, qui visite en ce moment les annexes de Nohant avec Maurice, lui avait écrit, longtemps avant : « Vous n'êtes ni une précieuse, ni une coquette. Vous estimez à sa juste valeur la sotte tactique de mon sexe comme du vôtre dans cette guerre qu'ils appellent l'amour. » Mais, pour l'occupation du temps, elle est tout aussi partagée que le seront la plupart des femmes, au siècle prochain.

Elle se souvient de sa mère. Chaque fois que « l'instinct de plainte » s'empare d'elle, son côté peuple se réveille. La grand-mère, éducatrice aristocrate, ne respectait l'exercice que pour épanouir les talents, la mère – plus près de la nécessité – connaissait le prix du travail. Lorsqu'elle lui confiait Maurice pendant la fugue en Italie, elle lui écrivait : « Dites-lui avec quelle ardeur vous vous levez à cinq heures du matin pour dessiner, et quel plaisir cela vous procure dans votre petite solitude. » Elle conseillait au précepteur Boucoiran : « Supportez les caprices et les idées de ma mère. Personne ne sait mieux que moi ce que c'est qu'une pareille cervelle ; mais elle est bonne avec les enfants... » Lorsque Sophie Dupin est morte, le 19 août 1837, George a été bouleversée : « J'ai senti en embrassant son cadavre que ce qu'on a dit de la force du sang et de la voix de la nature n'est pas un rêve, comme je l'avais souvent cru de mes sujets de mécontentement contre elle. » Et encore : « Pauvre petite femme : fine, intelligente, artiste, colère, généreuse, un peu folle, méchante dans les petites choses et redevenant bonne dans les grandes. »

Aujourd'hui, George Sand doit trouver de l'argent. Elle a gagné son procès en séparation contre Casimir Dudevant, et repris de haute lutte le domaine de Nohant qu'elle avait apporté en dot. Mais l'arrangement financier n'est pas brillant pour elle. Depuis les premiers romans, écrits pour payer les échappées belles à Paris, elle s'est petit à petit laissé enchaîner par des exigences inexorables. Dans la capitale, l'entretien d'un appartement, la présence – qu'elle cherche à réduire – de quelques domestiques ; à Nohant, une maisonnée nombreuse : côté communs, les serviteurs, les servantes sont là depuis si longtemps ; côté maîtres, George invite, pour elle, pour Chopin, des cohortes d'amis et les installe avec des raffinements de confort ; côté enfants, Maurice a lui aussi ses hôtes permanents devenus vite des « enfants » supplémentaires, comme le peintre Lambert ; George héberge aussi Augustine Brault, une jeune cousine qu'elle appelle sa « fille » ; Solange est entourée de maîtres, ses exigences en matière de toilettes, de chevaux, grandissent vite... Et, dès cette époque, on ne compte plus les solliciteurs ; certains d'entre eux - comme Pierre Leroux - ne quémandant pas seulement pour eux-mêmes, mais pour des entreprises aventureuses qui seront des gouffres pour la trop généreuse George : journaux, imprimerie, communautés... elle financera à flots perdus.

Lorsqu'elle a proposé à Delacroix un séjour en Berry, elle lui a glissé : « Vous ne dépenserez pas d'argent, ce qui est une dernière considération à peser par le temps qui court et les chiens de métier que nous faisons. » Dans la chaleur du printemps finissant, Nohant est un Eden douillet : l'un des plus grands musiciens du temps est au piano, l'un des plus grands peintres observe les visages berrichons qu'il prendra pour modèles de son tableau *Anne et la Vierge*, des adolescents cultivés jouent et s'exercent, des serviteurs attentifs les entourent de prévenances. Au centre de l'édifice, George. Seule à compter ; seule à noircir les pages, au long des nuits, pour entretenir autour d'elle ces gens insouciants, trop bien élevés pour s'inquiéter de savoir ce qu'ils coûtent. Pour eux, de temps en temps, elle regarde la grande bâtisse, avec les yeux qu'elle leur suppose. Lorsque Liszt et Marie d'Agoult ont annoncé leur visite, cinq ans auparavant, elle s'est effrayée de la rusticité de sa demeure et s'est passionnée pour son aménagement : « Je fais rapproprier ma chambre... Jamais je n'ai eu tant de souci de la propreté... Je fais faire des rideaux, chose inconnue [...] jusqu'à ce jour. » Elle écrivait alors à sa mère : « Nous avons passé ces jours-ci à coller du papier dans mon cabinet de toilette ; nous en avons fait une petite pièce charmante... Nous pensons à vous, à votre ardeur, et à votre habileté dans ces grands travaux, à votre bon goût, et à votre passion pour planter des clous. Quant à moi, j'en ai un torticolis effroyable. » Au moins pourra-t-elle recevoir ses hôtes dans un cadre digne d'eux : « Nohant est charmant à présent, je l'ai fait rafistoler de haut en bas. »

Et pourtant, un doute pour toutes ces tâches accomplies, pour « le temps et l'attention nécessaire » à la grande maison : « Il ne faut pas y dévorer tout son être et quand on a fait pour le mieux, il faut laisser dire les gens et aller les choses » ; quant à l'argent, elle avoue : « C'est une chose insupportable pour moi que de s'occuper d'affaires, et quand j'y suis forcée, je suis d'une humeur de chien. » L'année écoulée a été celle des grandes « réformes » domestiques. Elle a demandé à Maurice de l'épauler dans ses résolutions d'économie : « J'ai fait ou je suis en train de faire dans le ménage des réformes sublimes [...]. Nous verrons si nos projets ne sont pas des illusions. » A Paris, elle a réussi à réduire leur train de vie : « Je n'ai pas pris de cuisinière, je prends mon dîner au restaurant... Ma dépense est réduite de moitié, et je suis plus libre. Je n'ai personne à grogner et je m'en porte mieux. » Las... l'espoir sera de courte durée : « Je croyais mes affaires au moment de s'éclaircir après tout ce que j'avais fait pour cela. Elles sont embrouillées et fâcheuses pour quelque temps encore, pour quelques semaines seulement j'espère... », constate-t-elle. Elles le seront encore longtemps. La prodigalité de George sera toujours compagne de ses inquiétudes... elle sera aussi prétexte continuel à son besoin prodigieux de créer et d'écrire.

Le soleil lui brûle les yeux. Elle se lève pour aller contempler les fleurs rares qu'elle a fait venir de Paris : une azalée blanche et jaune, un érica, des gardénias. Le son du piano s'éloigne. Elle va devoir rentrer, classer la documentation qu'elle a reçue pour la suite de *Consuelo.* Elle a envoyé à Pierre Leroux, le 22 mai, la quatrième partie de l'ouvrage. Mais le directeur de *La Revue indépendante* - leur revue, sa revue bien à elle ! - ne la tient pas pour quitte ! Il réclame la suite. *Consuelo* ne devait être qu'une nouvelle. Qu'importe ! Pour répondre à « l'avidité des lecteurs », comme dit George, la romancière entraîne la petite bohémienne musicienne sur de nouveaux chemins. Il lui faut pourtant se documenter en écrivant : elle n'avait, au départ, ni projet ni plan précis ; seulement le personnage de cette jeune chanteuse où les contemporains reconnaîtraient Pauline Viardot, en passe de devenir l'une des plus célèbres cantatrices européennes... Pauline avait participé au concert donné par Chopin, à Pleyel le 21 avril, en interprétant des morceaux de Haendel... George n'avait pas assez de mots pour dire son enthousiasme, sa ferveur à l'égard de sa jeune amie. Consuelo, comme Pauline, se produirait dans les divers pays d'Europe. Au travers des rencontres, des auditions, elle poursuivrait une quête mystique... les régimes politiques, l'amour, l'art... La fresque se déployait, et George, fébrilement, devait s'informer sur « des volumes de mémoires de Sophie, fille de Guillaume, roi de Prusse ». Elle demandait à Florentin Maîtrejean, employé à la Bibliothèque nationale, des textes sur « Marie-Thérèse d'Autriche et Marie-Josèphe de France, mariée au dauphin Louis de France qui ne régna pas »... Elle dévore alors, a noté F. Mallet, « un nombre prodigieux d'ouvrages concernant les sociétés secrètes : après Goethe et Wilhelm Meister, elle lit entre autres Nodier, ses *Philadelphes,* son *Histoire des sociétés secrètes de l'armée, De la maçonnerie et du carbonarisme* et *Léo Burckhardt,* joué en 1839, où Nerval introduit une réunion clandestine des Voyants de la jeune Allemagne ». Douze ans plus tard, préfaçant une réédition, George insisterait sur cet aspect historique intéressant pour l'approche du XVIIIe siècle : « Siècle étrange, qui commence par des chansons, se développe dans des conspirations bizarres, et aboutit par des idées profondes, à des révolutions formidables ! » Elle s'excusera pourtant d'avoir travaillé pour ce roman comme au hasard sans prendre « le temps de relire l'ensemble et de l'expurger des longueurs qui sont justement le fruit de la précipitation ». Aujourd'hui, remontant silencieusement l'escalier qui conduit à sa chambre, elle songe à l'enchaînement qu'elle va donner aux chapitres envoyés à Leroux... Sa petite Consuelo pauvre, « noire et maigre sauterelle », la petite fille brune dont la laideur

« gagne le cœur tout en choquant les yeux », « aussi calme que les lagunes » et « aussi active que les gondoles »... Est-ce sur Pauline ou sur Aurore que rêve George ? N'importe, il lui faudra encore « courir à travers champs après la voyageuse Consuelo » durant tant d'après-midi studieux, tant de nuits dans la maison assoupie, avant de pouvoir clore « cet interminable fatras de rêveries », comme elle qualifiait elle-même les aventures de son héroïne de la secte des Invisibles, et de la comtesse de Rudolstadt.

La musique. Chopin et son excellence à dire les mouvements de l'âme par la musique. Pauline et ses interprétations parfaites. George aurait tant aimé devenir une musicienne. Adolescente, elle avait cultivé le chant, la harpe, le piano. Ces disciplines n'étaient qu'arts d'agrément dans l'éducation des jeunes filles de la bonne société. Elle fit davantage. Toute sa vie, elle aura un piano près d'elle. Ce printemps 1842, comme depuis quatre ans, depuis la première rencontre avec Frédéric, George admire, et se sent un peu infirme à la fois. Une « écouteuse », dira-t-on d'elle, évoquant la petite fille qui venait s'accroupir sous le clavecin de Mme de Francueil et se gorgeait de mélodies. Plus tard, elle devait retrouver cette attitude enfantine avec Franz Liszt, en visite à Nohant, interprétant pour elle les « mélodies les plus fantastiques de Schubert » ou la *Symphonie pastorale* de Beethoven. Sur Chopin musicien, George écrira, quatre ans après leur rupture, dans *Histoire de ma vie,* des pages admiratives et admirables. Elle sait de quel créateur elle a eu le privilège de partager la vie, et de l'artiste elle n'a jamais douté : « Le génie de Chopin est le plus profond et le plus plein de sentiments et d'émotions qui ait existé. Il a fait parler à un seul instrument la langue de l'infini ; il a pu souvent résumer, en dix lignes qu'un enfant pourrait jouer, des poèmes d'une élévation immense, des drames d'une énergie sans égale. [...] Un jour viendra – prédit George – où l'on orchestrera sa musique sans rien changer à sa partition de piano et où tout le monde saura que ce génie aussi vaste, aussi complet, aussi savant que celui des plus grands maîtres qu'il s'était assimilés a gardé une individualité encore plus exquise que celle de Sébastien Bach, encore plus puissante que celle de Beethoven, encore plus dramatique que celle de Weber... » Pour elle, « Mozart seul lui est supérieur », et elle ajoute : « Parce que Mozart a en plus le calme et la santé, par conséquent la plénitude de la vie. »

Il faudrait s'attarder un peu sur cette page, penser à ce que rêvait George, un après-midi de printemps, en entendant « son » Chopin aux prises avec une création difficile. Elle admirait, bien sûr. Avec cette concentration, cette capacité méditative qu'a peintes Delacroix dans l'œuvre fameuse où il représente George à l'écoute de Chopin en deux personnages d'égale grandeur, d'égale force, dans les deux moitiés de la toile divisée plus tard. Admirant, elle ne pouvait s'empêcher de hiérarchiser. Et elle plaçait l'artiste très, très haut... si haut que les musicologues protestèrent que c'était bien là le jugement d'une femme amoureuse. Peut-être ont-ils raison, en un sens différent de celui qui apparaît d'abord : sans doute

George devait-elle placer Frédéric aussi haut pour n'être point déçue d'elle-même. Parce que le grand Chopin était si petit pour George... Dans les amours de sa jeune maturité, elle aspire à l'excellence. Excellence de la plume, de l'éloquence, de la création musicale... Musset, Michel de Bourges, Chopin... On aurait tort d'entendre par là quelque avidité de reconnaissance sociale... George n'a jamais cherché la gloire par délégation d'amants. Dans le même passage, elle souligne d'ailleurs : « Il n'a pas été connu et il ne l'est pas encore de la foule. Il faut de grands progrès dans le goût et l'intelligence de l'art pour que ses œuvres deviennent populaires. » Les trois hommes, si singulièrement différents, ont en commun d'avoir porté à son paroxysme, chacun, leur passion de créer. Jusqu'à « l'énervement » et la folie romantique pour Musset, jusqu'à une sorte d'autodestruction brûlante pour Michel au temps où il aimait George, jusqu'à « l'excès » pour le pianiste. Des hommes que leur passion condamne au malheur. Alors, écrivent les biographes, George se précipite, pour calmer, pour soigner, pour bercer. George si maternelle...

Soyons plus justes, plus précis... George Sand parle de Chopin en disant « mon petit »... et sous sa plume les diminutifs abondent : « Chopinet » « Chip-Chip » « le petit Chip ». Durant le voyage à Majorque où elle l'emmène pour le soigner, parce qu'on a peur pour lui de la phtisie, et que le climat chaud doit lui être bon – comme pour son fils Maurice ! –, c'est elle qui prend en charge toutes les difficultés d'un périple incroyable, par un hiver atroce, dans une Espagne inhospitalière qu'elle détestera à jamais ensuite. Elle se fait ménagère (elle qui avait toujours été servie), cuisinière, infirmière. Elle console et réconforte un malade proche de l'hallucination. Vaillante en diable, elle s'obstine à croire à une irritation du larynx quand il crache le sang. Au retour, elle s'entête encore à lui faire trouver le soleil en Provence, puis à Gênes. Voilà bien de quoi combler de joie un amour maternel !

C'est pourtant bien mal connaître la maternité que de n'y pas voir, comme au jour de l'enfantement, les deux espoirs fondus de la protection à donner et de la délivrance à venir. George, à trente-huit ans, vit une liaison affichée, conjugale, avec un homme chez qui elle avait soupçonné, dès le départ, un mépris de la chair. Il faut lire le document étonnant que constitue la lettre de mai 1838 à Albert Grzymala, l'ami de toujours de Chopin. Elle vient de rencontrer le musicien. Elle interroge Grzymala pour savoir quelle règle de conduite elle doit adopter. Chopin a-t-il un engagement sérieux à l'égard de la fiancée polonaise, Marie Wodzinska, ou peut-elle le considérer comme un homme libre ? Elle propose au passage des liens légers : « De temps en temps, quand un bon vent nous ramènera l'un vers l'autre, nous irons encore faire une course dans les étoiles, et puis nous nous quitterons pour marcher à terre, car nous sommes les enfants de la terre. » En somme, elle pourrait être pour lui... une Italie, « comme une Italie, qu'on va voir, où l'on se plaît aux jours du printemps, mais où l'on ne reste pas, parce qu'il y a plus de soleil que de lits et de table, et que le confortable de la vie est ailleurs ».

« Pauvre Italie ! ajoute-t-elle. Tout le monde y songe, la désire ou la regrette : personne n'y peut demeurer, parce qu'elle est malheureuse et ne peut donner le bonheur qu'elle n'a pas. » Puis elle confie à Grzymala le doute qui l'a traversée à propos de Chopin : « Il semblait faire fi, à la manière des dévots, des grossièretés humaines, et rougir des tentations qu'il avait eues et craindre de souiller notre amour par un transport de plus. Cette manière d'envisager le dernier embrassement de l'amour m'a toujours répugné... Ce mot d'amour physique dont on se sert pour exprimer ce qui n'a de nom que dans le ciel, me déplaît et me choque, comme une impiété et comme une idée fausse en même temps... Il a dit, je crois, que certains faits pouvaient gâter le souvenir. N'est-ce pas, c'est une bêtise qu'il a dite, et il ne le pense pas ?... Il est résulté de cette manière de séparer l'esprit de la chair qu'il a fallu des couvents et des mauvais lieux. »

Tout est presque dit de l'union entre George Sand et Chopin dans cette lettre. « Faire fi... les dévots... rougir des tentations »... Voici que « le petit » devient tout, tout petit. George aura des trésors de tendresses pour cet enfant-là. Mais l'homme trop « précieux », encoigné dans ses étroitesses, pèsera de plus en plus lourd aux bras de George.

A Majorque, ils se sont émerveillés ensemble. « Le ciel est en turquoise, écrit Chopin à Fontana, la mer en lapis-lazuli, les montagnes en émeraude. Le jour, il y a du soleil, il fait chaud et tout le monde s'habille comme en été. » Ils choisissent l'habitation la plus « artiste » qui soit, dans la chartreuse de Valdemosa :

« C'est la poésie, c'est la solitude, c'est tout ce qu'il y a de plus chiqué sous le soleil », écrit George. Puis l'hiver est là. Froid et pluie. Inconfort. Peu importe ; l'amour domine d'abord. George, de Chopin : « C'est un ange de douceur et de bonté. » Chopin, de George : « Sans cesse je la voyais inquiète de moi. Elle devait me soigner toute seule... Je la voyais faire mon lit, ranger la chambre... se priver de tout pour moi... veillant sur les enfants... Ajoute à cela qu'elle écrivait. » Pourtant, l'agacement de George est très tôt sensible. Ne parlons pas des Majorquins, de la cupidité des hôtes, de leur phobie à l'égard de la tuberculose soupçonnée. George se sauve de tout cela par la colère, par la nécessité de réagir. Mais le « petit Chop » n'est plus aussi admirable. Au moins reconstruira-t-elle ainsi l'histoire dans ses Mémoires, avec un luxe de précautions. Elle note pourtant : « Le pauvre grand artiste était un malade détestable. » Il se démoralise, il vit l'épouvante dans le cloître isolé. Il se terre dans le silence. Pire, lorsque George tente de discuter avec lui sur « l'harmonie imitative » qu'elle croit lire dans une de ses compositions, il traite par le mépris cette interprétation. George, modeste, feint de lui donner raison : « Il protestait de toutes ses forces... contre la puérilité de ces imitations pour l'oreille. Son génie était plein de mystérieuses harmonies de la nature, traduites par des équivalents sublimes dans sa pensée musicale et non par une répétition servile de sons extérieurs. Sa composition de ce soir-là était bien pleine des gouttes de pluie qui résonnaient sur les tuiles sonores de la chartreuse, mais elles s'étaient traduites dans son imagination et dans son chant par des larmes tombant du ciel sur son cœur. » Qu'on lise comme on voudra... Sous la dévotion pieuse à l'artiste, l'ironie ne me paraît pas loin. Elle note même : « Il me consultait comme Molière sa servante... »

Juin 1842. Voilà quatre ans que George et Frédéric partagent leur vie commune entre Paris et Nohant. Est-ce ce mois, cette journée, qu'elle raconte dans *Histoire de ma vie* ? « J'avais alors environ quarante ans... » Elle évoque des « névralgies terribles », des « injustices » dans sa « vie intime »... Elle s'en va pleurer « dans le petit bois [du] jardin de Nohant [...] à l'endroit où jadis ma mère faisait pour moi et avec moi ses jolies petites rocailles ». Elle soulève une grosse pierre, et c'est l'aisance à la soulever qui l'effraie : elle vient d'éprouver à la fois sa force toujours neuve et sa fatigue à continuer à s'en servir. Désespoir de n'être encore qu'au milieu du chemin. « Ah ! mon Dieu, j'ai peut-être encore quarante ans à vivre !... Horreur de la vie, soif du repos. » Elle se sauve de ce dégoût par une résolution, qui n'est, au fond, que la réaffirmation du sens de la vie qu'elle a choisie avec Chopin, avec Maurice, avec Solange. Comme le Zarathoustra de Nietzsche, désespéré et heureux, concluant : « C'était cela la vie, eh bien, recommençons », George répète son affirmation de dévouement et de sacrifice. Ce ne sont pas les critiques ni les biographes qui ont imposé l'image d'une George Sand avide de maternité, chérissant ses amants comme des enfants. C'est elle-même qui a voulu, avec obstination, imposer cette image dans *Histoire de ma vie*. « J'avais de la tendresse et le besoin impérieux d'exercer cet instinct-là. Il me fallait chérir ou mourir. »

George a tous les accents des mères, surencombrées d'enfants trop lourds. Dans *Un hiver à Majorque,* elle a insisté sur l'inhospitalité objective de l'Espagne et des Baléares. Dans ses Mémoires, elle renvoie au fils-amant-artiste-malade une grande part de responsabilité dans le fiasco du séjour. « La chartreuse était si belle sous ses festons de lierre, la floraison si splendide dans la vallée, l'air si pur sur notre montagne, la mer si bleue à l'horizon ! C'est le plus bel endroit que j'aie jamais habité et un des plus beaux que j'aie jamais vus. » Et voici le regret : « J'en avais à peine joui [...] ; n'osant quitter le malade, je ne pouvais sortir avec les enfants qu'un instant chaque jour, et souvent pas du tout. J'étais très malade moi-même de fatigue et de séquestration. » Les vrais enfants appelaient à la promenade, l'enfant-amant était prison.

Pourtant, comme elle le défend, et comme elle se défend de ne pas l'aimer assez. Chopin savait être gai autrefois : « Il avait eu [...] des idées riantes et toutes rondes dans sa jeunesse. Il a fait des chansons polonaises et des romances inédites d'une charmante bonhomie et d'une adorable douceur. » Il a composé plus tard... « des sources de cristal où se mire un clair soleil ». Dans la vie mondaine, dans les petits groupes intimes de dix à vingt personnes, il pouvait s'amuser et amuser : « Tout à coup... il se tournait vers une glace, à la dérobée, arrangeait ses cheveux et sa cravate et se montrait subitement transformé en Anglais flegmatique, en vieillard impertinent, en Anglaise sentimentale et ridicule, en juif sordide. » Chopin s'ingénie à faire rire à propos de « types tristes, quelque comiques qu'ils fussent ».

Seulement, seulement... tant de susceptibilités, tant de petitesses chez le grand homme – « le sentiment exagéré des détails », un « esprit écorché vif ; le pli d'une feuille de rose, l'ombre d'une mouche le faisaient saigner » –, tant de pessimisme profond : « Le cri de l'aigle plaintif et affamé sur les rochers de Majorque, le sifflement amer de la bise et la morne désolation des ifs couverts de neige l'attristaient bien plus longtemps et bien plus vivement que ne le réjouissaient le parfum des oranges, la grâce des pampres et la cantilène mauresque des laboureurs. » Enfant, abîmé par les « gâteries » du monde, choyé trop tôt sur des genoux de princesses, il est grand dans l'indulgence et tyrannique dans ses exigences. « Il n'acceptait rien de la réalité. C'était là son vice et sa vertu, sa grandeur et sa misère. Implacable envers la moindre tache, il avait un enthousiasme immense pour la moindre lumière, son imagination exaltée faisant tous ses frais possibles pour y voir un soleil. » Il s'attachait aussi à George en l'idéalisant, il s'attachait et se l'attachait. Car l'écrivain oscille sans cesse, dans *Histoire de ma vie,* sur la responsabilité de cet enchaînement. Chopin veut « fixer son existence auprès de la mienne », écrit-elle à propos du retour de Majorque. Elle a peur de la lourdeur que représente ce lien : « Une sorte d'effroi s'empara [...] de mon cœur en présence d'un devoir nouveau à contracter », et elle note froidement : « Je n'étais pas illusionnée par une passion. » Elle répète : « J'avais pour l'artiste une sorte d'adoration maternelle très vive, très vraie »... et voilà un prétexte de plus, étrange : elle sait qu'à s'occuper de Chopin elle n'aura pas le cœur libre pour un autre amour. Elle se préserve ainsi des émotions, elle se protège : « Un devoir de plus dans ma vie, déjà si remplie et si accablée de fatigue, me parut une chance de plus pour l'austérité vers laquelle je me sentais attirée avec une sorte d'enthousiasme religieux. » Et cette lutte contre elle-même, contre sa facilité à s'embraser, trouve en Chopin le complice idéal...

Au moins a-t-elle ainsi reconstitué l'histoire, en insistant sur la jalousie maladive du musicien. La reconstitution devait bien s'appuyer sur la réalité, si l'on en croit la correspondance. L'été 1841, Chopin s'était pris d'animosité contre une amie à son goût trop envahissante, Mlle de Rozières. « Il vous fait un crime de mon amitié pour vous, écrit George à celle-ci, il veut que personne ne souffre de sa jalousie excepté moi » ; elle excuse ces travers de caractère par la maladie, mais ajoute, amère : « Je n'ai jamais eu de repos et je n'en aurai jamais avec lui. » Elle sera plus légère, mais plus incisive dans *Histoire de ma vie* : « Chopin n'était pas né exclusif dans ses affections ; il ne l'était que par rapport à celles qu'il exigeait. » Elle s'y défendra d'avoir voulu peindre le célèbre pianiste dans le personnage du prince Karol de *Lucrézia Floriani*. Les amis, les proches furent cependant scandalisés par les ressemblances aveuglantes du portrait. Avec sa belle santé et, peut-être, un désir de cruauté qu'elle ne reconnaissait pas, George prendrait là une revanche d'artiste contre artiste avec cette voracité particulière qu'ont les écrivains, nourrissant leur imagination des victimes à portée de plume.

Le 6 juin 1842, elle retourne à sa *Consuelo.* En compagnie de Delacroix, ce soir, elle écoutera le grand Chopin interpréter les *Préludes* de Bach qu'il a retranscrits. Avec un peu de chance, il acceptera de discuter musique avec le peintre, qui écoute et admire aussi bien qu'elle ; un peu plus de chance encore et il leur donnera la primeur de cette ballade qu'il compose ; s'il le veut bien, elle leur lira quelques pages de son roman ; elle s'essaie à dresser des portraits de Porpora, de Haydn... Chopin saura-t-il entendre ?

Dans le fond du jardin, une bande bruyante a fait irruption autour de Solange. Jamais fatiguée, Solange, quand il s'agit de jouer et de plastronner au milieu de sa cour. George est encore sous le coup de la bataille qu'elle a dû lui livrer ce matin pour une raison futile. Sa « grosse fille », comme elle disait autrefois, la comparant au mince Maurice, est devenue une adolescente passionnée et difficile. Elle jugeait la fillette d'une « intelligence extraordinaire »... Dans le même temps, elle était plus critique à l'égard des capacités de son cher Maurice. Lorsque Solange avait huit ans, elle lui écrivait : « Tu as un bon cœur [mais] beaucoup trop de violence dans le caractère. » L'année de ses dix ans, sa mère dit d'elle : « Ma grosse fille porte toujours fièrement sa grosse tête carrée, recevant avec le même dédain le blâme et l'éloge, faisant tout à sa tête et faisant bien par nature. C'est ce qui me console de son indocilité. » A un ami, elle écrit encore : « C'est une grande âme, et je suis bien trompée ou elle aura une mission en ce monde. Mais je ne dis cette rêverie qu'à toi. » Or la demoiselle, tout en gardant sa force, joue l'élégante. Hippolyte, le frère de George, reçoit les confidences dans le ton gaillard habituel à leurs lettres à tous deux. Sans doute, « Solange va bien, mange comme un bœuf, jure comme un charretier et ment comme un dentiste », mais « elle prend force leçons et perd beaucoup de temps à sa toilette. Elle tombe dans une coquetterie dont je te prierai de te moquer beaucoup quand tu la verras, pour la corriger ». A douze ans, elle se passionne pour l'équitation, comme Aurore autrefois. « Elle est intrépide et galope toute seule en tous sens sur un grand cheval. » L'affection déborde alors chez George : « Tu es une grosse farceuse, une grosse blagueuse, une grosse baveuse avec tes contes. Je sais que tu es sage et mignonne et je vas te bien biger et te bien manger. » La puberté précoce de l'enfant préoccupera pourtant la mère. Solange devient de plus en plus rétive. George parle alors de l'« humeur fantastique et rebelle » de l'adolescente. Elle s'inquiète de savoir si l'équitation ne serait pas dangereuse pour sa formation. Aurore, au couvent, s'était rangée parmi les « diables ». Constatant que Solange a « le diable au corps », elle songe à la mettre en pension. Ce ne sont, d'après sa mère, qu'« accès de fureur », que « paresse ». A sa maîtresse de piano, elle écrit, un matin : « Chère enfant, ne venez pas ce matin donner la leçon de Solange. Elle a été d'une férocité qui a duré jusqu'à trois heures du matin, et je vais la faire rentrer dans sa cage dès qu'elle sera réveillée. » Face à cette mère active, Solange résistait tantôt par ces « fureurs » tantôt par l'inertie. Confiée à la pension Bascans, elle est précédée d'un portrait que George tente de dessiner objectif et contrasté, entre qualités et défauts : « Elle a une tête des mieux organisées. Il n'y a que le caractère qui pèche. Il est fantasque, inégal, dominateur, jaloux et emporté. Voilà les tendances. Il y a pour combattre ces instincts malheureux beaucoup d'intelligence, de générosité, une grandeur innée, l'absence totale de ressentiment, de la tendresse même et un sentiment élevé de la justice. Elle a besoin d'un régime doux et calmant au moral comme au physique. »

Tout au long de ces années, le parallèle entre les deux enfants vient spontanément sous la plume de George, ne serait-ce que pour donner de leurs nouvelles en quelques mots à ses correspondants. Présentation à peu près toujours semblable : la fille est supérieure par l'intelligence, mais de caractère détestable ; le fils manque d'énergie, mais l'emporte par le cœur. Côté tendresse, la comparaison se prolonge encore avec l'autre « fils » Chopin. Ce printemps 1842, George a résumé pour Pauline Viardot : « Solange est toujours méchante, Chip est toujours bon. » En arrivant à Nohant, en mai, l'écrivain cherche à canaliser l'énergie de sa « Sol » de quatorze ans. « Solange a été méchante tout le temps de la route, et ici encore plus. Elle fait un jardin. J'espère qu'à force de s'éreinter elle épuisera sa rage. »

Dans le quadrilatère familial George-Chopin-Maurice-Solange, les deux hommes semblent représenter faiblesse et douceur, les deux femmes l'énergie. De plus en plus, la fille devient l'adversaire à faire plier. On aurait tort pourtant de ne lire cette histoire tumultueuse qu'à la lumière de son dénouement. La mère éprouvait tendresse et clairvoyance pour ce rejeton dont elle devait reconnaître les violences qu'elle avait su maîtriser en elle-même. A preuve cette formule pour une lettre à David Richard, une comparaison de plus entre fils et fille : « Ce pauvre enfant [Maurice] devine tout avec son cœur. C'est un ange de sensibilité, d'amour et de raison. Solange est un lion, un léopard, un aigle, un chamois, un garçon, un diable, tout excepté une demoiselle. Je l'adore d'une manière stupide. » C'était en 1838.

Quatre ans plus tard, George adore sûrement autant sa « Sol », mais l'affrontement est permanent. Ce mois de juin, elle s'efforce d'occuper l'adolescente sans la « ménager » : deux heures de lecture, travaux d'aiguille, écriture, leçons de piano avec le maître Chopin... et le jardin pour la calmer ! Mais l'écrivain est fatiguée, ses yeux supportent mal la lumière, ses migraines lui font haïr le bruit, et Solange représente tant de devoirs trop lourds à porter, de raisons de rancune... !

Tous ces liens qui vous retiennent et que vous vous fabriquez sans cesse... « Une machine à devoir »... Ce printemps, George vient d'écrire une nouvelle préface à *Indiana* pour la réédition populaire de ses romans chez Perrotin. Elle justifie cette presque première œuvre où les critiques ont voulu voir une attaque en règle contre le mariage : « J'ai cédé à un instinct puissant de plainte et de reproche que Dieu avait mis en moi. » Elle plaide alors pour « la moitié » du genre humain que sont les femmes et la cause « du genre humain tout entier ; car le malheur de la femme entraîne celui de l'homme, comme celui de l'esclave entraîne celui du maître ». L'intéressant, me semble-t-il, est qu'elle reconnaisse, à dix ans d'intervalle, ce qu'elle nomme « l'instinct de plainte et de reproche ». Sans doute est-ce là une manœuvre défensive à l'encontre des adversaires qui l'accusent de mettre en œuvre une stratégie de destruction consciente de la société avec *Indiana, Lélia, Jacques,* en critiquant trois aspects du fondement social qu'est la famille : le malheur des femmes dans le mariage, à travers *Indiana,* l'impossibilité de l'amour humain dans *Lélia,* le malheur de l'homme dans le couple avec *Jacques.* George toute sa vie refusera qu'on lui prête de grands desseins, et parle ainsi d' « instinct » plutôt que de logique : elle entre d'ailleurs dans le jeu de ces contradicteurs qui doutaient qu'une femme pût bâtir quelque système intellectuel. Pourtant, il faut voir là autre chose : « l'instinct de plainte et de reproche », ou le sentiment d'injustice, est bien ce qui conduit George dans sa recherche sociale et mystique à la fois, tout au cours de sa trentaine batailleuse.

Au seuil de ses trente-huit ans, à la faveur du travail de remise en forme pour son nouvel éditeur, elle tente un jugement global sur le mouvement qui l'a portée. Perrotin lui a demandé un prospectus pour lancer la réimpression. Avec beaucoup d'habileté, elle montre que la cohérence de sa pensée est bien plus à imputer à ceux qui contestent son œuvre qu'à l'écrivain elle-même. Elle s'est, dit-elle, contentée de poser des questions : « J'ai demandé, avec beaucoup de réserve, et de soumission au début, dans deux romans intitulés *Valentine* et *Indiana,* quelle était la moralité du mariage tel qu'on le contracte et tel qu'on le considère aujourd'hui... » « Questionneur dangereux », lui répond-on et, partant, « romancier immoral ». Elle interroge alors la critique dans un roman intitulé *Lélia* sur la manière dont « elle entendait et expliquait l'amour ». Déchaînement de fureur : « J'étais un esprit pervers, un caractère odieux, une plume obscène. » Elle ajoute : « Je fis un nouveau roman que j'intitulai *Jacques* et dans lequel, prenant un homme pour type principal, je demandai encore et cette fois au nom de l'homme... quel était l'idéal de l'amour dans le mariage. Cette fois, ce fut pis encore. J'étais l'ennemi du mariage, l'apologiste de la licence, le contempteur de la fidélité ; le corrupteur de toutes les femmes, le fléau de tous les maris. » Elle n'était qu'une questionneuse, plaide-t-elle, la critique lui a prêté une cohésion. Aujourd'hui, elle peut se reconnaître des convictions et des principes. Mais « l'instinct de plainte et de reproche » est toujours là.

Deux rencontres ont marqué le début des années quarante : celle d'Agricol Perdiguier et celle de Pierre Leroux. Agricol Perdiguier – dit Avignonnais-la-Vertu – avait publié en 1839 un *Livre du compagnonnage* qu'avait remarqué George Sand. Dès cette époque, George croit à une sorte de mission historique des humiliés.

Les humiliés, pour elle, ce sont les prolétaires et les femmes. Pendant que Marx et Engels échafaudent la théorie du rôle révolutionnaire de la classe ouvrière, George cherche des raisons de croire aux valeurs dont le peuple serait porteur. Elle revendique souvent sa « moitié peuple » par sa mère. Et elle découvre, ravie, les idées de Perdiguier sur la fraternité et le travail. Elle l'invite à sa table. Ils s'entretiennent surtout des débats internes au mouvement des Compagnons qu'Avignonnais-la-Vertu se proposait de réformer. George l'encourage, en lui recommandant patience et modération dans ces discussions. Il veut convaincre et elle l'aide de ses subsides. George indique alors à A. Perdiguier les convictions qui l'animent : « C'est dans le peuple et dans la classe ouvrière surtout qu'est l'avenir du monde [...]. Quand le peuple donnera l'exemple de la fusion de ses intérêts individuels en un seul intérêt [...], c'est lui qui sera le maître du monde, l'initiateur de la civilisation, le nouveau messie. » G. Sand devrait écrire dès 1840 un roman dont les « compagnons » seraient le héros collectif. A la même époque, elle commence une correspondance suivie avec un « poète-ouvrier », Charles Poncy, et les missives qu'elle lui envoie répètent le message : « Le peuple est porteur de l'avenir... », même lorsque l'écrivain souffre visiblement des faiblesses et des ornements de plume de l'ouvrier-poète.

L'amitié avec Pierre Leroux comble enfin, ces années-là, le besoin de philosopher de l'écrivain. Et leurs relations marquent, sans doute, la première démarche de politique active accomplie par George

Sand. Car c'est bien une sorte de conversion politique qu'elle effectue en 1841 en rompant avec son éditeur Buloz et en fondant avec P. Leroux et L. Viardot (le mari de la célèbre cantatrice) *La Revue indépendante.* George eut connaissance, pour la première fois, d'un article de Pierre Leroux sur le bonheur dans *La Revue des Deux Mondes* en 1836. Elle lui manifesta alors un intérêt tout littéraire : « Je lui sais gré de traiter si mal Monsieur de Voltaire et si bien mon " divus Plato ". » Très vite, elle s'enthousiasme : « Dieu l'a mis au monde dans un jour de tendresse et de mansuétude. » Le penseur était pauvre. Elle projette de l'aider, de le prendre en pension à Nohant, d'adopter ses enfants ! Elle le présente à ses amis. Distrait comme un philosophe de caricature, il ne sait que dire, après avoir vu Marie d'Agoult : « Elle était bien belle », en avouant, en réponse aux questions précises de George : « Je ne l'ai pas vue, mais elle avait un beau bouquet et j'en ai conclu qu'elle devait être belle et aimable. » Au fil de ses lectures, George admire de plus en plus « Leroux et Reynaud, les premiers et les seuls philosophes de nos jours ». Elle demandera à Leroux de corriger ses textes. Viendront alors les projets grandioses : non content d'écrire, il voudrait imprimer... George aidera, aidera... jusqu'à comprendre qu'elle ne pourra combler le gouffre. Jusqu'à apprécier aussi de manière plus prudente les histoires familiales compliquées, les tentatives communautaires et les théories d'autarcie de Leroux et de ses frères. Pourtant, des années durant, elle soutiendra « le sublime bohémien, envers et contre tous ».

« Une machine à devoir »... Chopin à protéger, Maurice à encourager, Solange à dompter ; les amis à accueillir ; les partisans des bonnes causes devenus solliciteurs ; l'appartement de Paris à préparer pour le retour au mois d'août ; le procès contre un éditeur, le traité à préparer avec un autre ; Papet qui se marie demain ; le domestique ramené de Paris qui s'ennuie à Nohant...

Ce soir, clignant les yeux sous la lampe, George oubliera tout. Pendant quelques heures, seule dans la nuit, elle retrouvera *Consuelo.* Elle écrira. Elle relira :

« Il y a là-bas, là-bas, une âme en peine et en travail qui attend sa délivrance.

Sa délivrance, sa consolation tant promise.

La délivrance semble enchaînée, la consolation semble impitoyable.

Il y a là-bas, là-bas, une âme en peine et en travail, qui se lasse d'attendre. »

5

Mercredi 23 août 1848

« Eh bien ! mon ami, que ferai-je de ce caractère ? […] Qui m'écoutera, qui me croira ? Qui vivra de ma pensée ? Qui, à ma parole, se lèvera pour marcher dans la voie droite et superbe où je voudrais voir aller le monde ? »

« L'image de George Sand scandaleuse était depuis longtemps installée dans l'esprit de ses contemporains. La voici dangereuse. »
Coll. T. Cl. Françoise Foliot.

GEORGE écrase entre ses doigts le brin de serpolet cueilli, hier soir, au bord d'une traîne. Et note – pour sa préface – la formule qui résume l'impression de fin d'écriture, de fin de roman, de fin de tribulations.

La Petite Fadette est terminée. Une fois de plus, elle voit pâlir la nuit, le jour venir à la rencontre de sa trop longue veille. Trois semaines de travail : « C'est bonne mesure comme vous le demandiez, écrit-elle à l'éditeur Hetzel, deux cent soixante mille lettres et vingt-quatre feuilletons. » Tout autour d'elle, des liasses et des liasses de papier. Sur un épais dossier, un titre : *Histoire de ma vie*. Elle a un regard las. Quand pourra-t-elle aller son chemin, suivre son envie ?

Machinalement, elle presse encore entre pouce et index les fleurs grenues et odorantes. L'histoire des bessons – les jumeaux berrichons – et de la fillette un peu sorcière qui les avait séduits tous deux, l'histoire est contée. Sagement, elle a conclu par une déclaration de foi en l'amour éternel : « Lorsqu'il serait épris d'une femme... il n'en aimerait qu'une en sa vie, parce qu'il avait le cœur trop sensible et trop passionné. » Bah ! une « fadaise », comme elle dira un peu plus tard. Ceux qui savent lire la langue du Berry – le vrai français, selon George – ont compris qu'il s'agissait là d'histoire de fées : les « fades », les « fadets ». Le glissement entre le provençal : « fadeze, sottise », et le sens berrichon devait paraître bien intéressant à l'écrivain. George jouait à l'innocence. Elle prenait l'inoffensive.

L'été 1848 est un repliement. George se cache et veut qu'on l'oublie. Il lui faut pourtant écrire. Non cette chère histoire de ses ancêtres commencée depuis plus d'un an. Écrire sur commande, pour trouver de quoi racheter les créances sur l'hôtel de Narbonne qu'elle a donné en dot à sa fille et que celle-ci vient d'hypothéquer. La peur lui vient qu'on n'aille jusqu'à saisir le mobilier de Nohant : « Il ne vaut pas quatre sous, mais je l'aime. » Alors, des heures durant, elle a dévidé l'histoire de Fadette, l'adolescente maigre et brûlée par le soleil, mal fagotée, sans coquetterie, si peu féminine que les garçons du voisinage l'appellent le « malot ». Fille-sorcière qui connaît le pouvoir magique des plantes comme Deschartres les avait enseignées à Aurore autrefois. Fillette abandonnée par sa mère, élevée de trop loin par sa grand-mère, et clamant l'attachement qu'elle ne peut renier à celle qui l'a mise au monde : « C'était plus fort que moi. Ma mère était toujours ma mère, et qu'elle soit ce qu'on voudra, que je la retrouve ou que je n'en entende jamais parler, je l'aimerai toujours de toute la force de mon cœur. » Paillettes d'Aurore dans les personnages de George. Qu'importe ! Tant d'années séparent la grande George Sand de 1848 des déchirements d'autrefois. Et ses peines d'aujourd'hui sont publiques, comme sa vie. Avec les soubresauts du printemps, George est entrée dans l'histoire politique.

En cette fin de nuit, elle s'émerveille d'avoir pu, malgré tout, achever si vite ce conte de veillées. Malgré la fatigue, surtout, qui la prenait par violentes migraines. Elle s'invente, ou se rappelle, des « remèdes de paysan », en se serrant la tête de toutes les forces avec un mouchoir et tout son corps se plaint de devoir se presser ainsi, nourrir des pages et des pages de son écriture anguleuse et penchée d'alors. Puis, au long des nuits, la fatigue se tait, George n'est plus que plume, que mots, que bonheur d'écrire, et, ce mercredi, alors que tous dorment encore, bonheur d'avoir franchi un nouvel obstacle, accouché d'un nouveau livre.

George la vaillante. L'inépuisable. S'astreignant à écrire *La Fadette* deux mois après avoir rédigé les *Bulletins de la République* – quelque chose comme le *Journal officiel* de la révolution de 1848. Celle qui a mis son talent au service du gouvernement de Ledru-Rollin, celle dont tout Paris pense qu'elle a grandement participé aux mouvements de mai, qu'elle a comploté avec Barbès et Blanqui pour entraîner le pouvoir vers une direction populaire, celle que les villageois de Nohant et les bourgeois de La Châtre traitent de « communiste », celle-là propose à Hetzel, le 29 juillet, un marché qu'elle espère assez lucratif pour se tirer financièrement d'affaire : « Je vous fais une espèce de Champi, cela vous va-t-il ? » Et elle ajoute : « Il me serait impossible, sous le coup des événements, de faire quelque chose qui eût la couleur de mes idées, sans liberté entière. Je fais donc quelque chose que j'aurais pu faire il y a un an. Mais vous me laisserez dire, dans une espèce de préface, pourquoi je reviens aux bergeries. »

Abattue un jour, joyeuse et féconde le lendemain. Écrivain sans cesse depuis dix-huit ans, elle resurgit, différente, s'essayant avec plus ou moins de bonheur aux genres les plus divers. Des « essais » rythment toutes ces années, entre les grands romans. Essais de plume fluide placés sous le titre peu prétentieux de *Lettres d'un voyageur ;* il y en eut douze ; certains contaient des voyages, d'autres abordaient des sujets plus austères. Ils surprennent aujourd'hui par la modernité du ton qui, au détour de la description d'un paysage, de l'évocation d'un ami, développe quelque réflexion d'ordre social, philosophique ou religieux. Lorsque l'écrivain veut s'expliquer sur ses positions quant aux femmes, au mariage, à l'amour, c'est encore la forme épistolaire qu'elle emploie, et ce sont les *Lettres à Marcie.* Elle s'intéresse aussi à l'écriture théâtrale. Elle échoue sans doute à son premier essai – *Cosima,* en 1840 – mais se passionne tant pour les problèmes de l'expression dramatique qu'elle fera représenter au moins vingt-quatre pièces, sans compter la production du petit théâtre de Nohant. Quant aux romans eux-mêmes, elle a désiré, après *Lélia*, développer le genre lyrique qui lui paraissait à la frontière de l'art du conteur - qu'elle possédait si bien -, de celui du poète - qu'elle rêvait de maîtriser - et de celui du philosophe - dont elle se défendait d'être capable. *Spiridion* lui valut de tels débats avec son éditeur qu'elle comprit les limites du genre. Elle avait connu immédiatement le succès, pourtant, avec *La Mare au diable* écrit, on le sait, en quatre jours, et *François le Champi.* Elle refusera avec obstination de devenir une spécialiste du « roman paysan ». Mais il faut bien vivre... et puisque le peuple n'a pu réussir « sa » révolution, elle va, à nouveau, « écouter le chant du labourage » et le « langage furtif » de la nature dont chacun peut jouir, même au sein des sociétés injustes.

Pourtant, le sens de la « bergerie » qu'elle vient de terminer n'est plus tout à fait le même. Parce que l'ont précédée et la révolution historique de 1848 et les crises intimes de 1847.

« Cette année 1847, la plus agitée et la plus douloureuse peut-être de ma vie », a-t-elle écrit un jour au politique italien Giuseppe Mazzini. « Depuis ces dernières années, j'ai grand-peine à me maintenir, je ne dis pas croyante, la foi conquise au prix qu'elle nous a coûté ne se perd pas, mais sereine... Elle est affreuse, cette vie, à l'heure qu'il est. » Car, en 1847, tout s'effondre autour d'elle. La vie avec Chopin tenue si longtemps à l'abri des éclats de la passion, le lien avec Solange déchiré à grand renfort de scènes. George souffre dans son corps de ces malheurs du sentiment ; en août 1847, elle subit une migraine de huit jours si forte qu'elle croit à une congestion cérébrale ; puis le reste se détraque : « Il n'y a plus que les entrailles qui me fassent souffrir, et je crois qu'il vaut mieux l'endurer que de porter l'irritation sur un autre point, car j'ai un je ne sais quel ennemi qui se promène dans mon individu et qui s'empare d'un organe quand je le chasse d'un autre. » En septembre, ce sont « fluxions sur fluxions et des accès de fièvre ». En octobre : « Je crois que la maladie de foie qui est dans ma famille et que je combats depuis dix ans me livre un assaut définitif. Nous portons tous en nous un ennemi qui nous guette sans cesse et nous attaque à l'improviste, et il y a toujours à s'en défendre, sans se préoccuper de l'issue du combat. »

Le printemps et l'été 1847 ont été riches en drames. On était si bien, encore, à Nohant durant l'hiver 1846 : Solange s'était fiancée à Fernand de Préaulx, le « jeune homme doux », comme dit le cousin de Chenonceaux sur la foi des missives envoyées par George. Dans la grande maison où le projet de « calorifère » n'avait pas encore abouti, les soirées se passaient en famille, dans le salon chauffé : George, Solange et Fernand, Maurice, son ami Eugène Lambert, apprenti peintre comme lui chez Delacroix, et la jeune Augustine Brault, une cousine que George considère comme sa fille adoptive. Cet hiver-là, George et ses « enfants » s'adonnent au théâtre improvisé dont Chopin leur avait inspiré l'idée à l'automne 1846. La Saint-Sylvestre sera l'occasion de monter un *Don Juan* entremêlant en toute fantaisie les origines italiennes et la version de Molière. Souper devant le feu, accueil des pauvres gens venus souhaiter la bonne année.

Mais les événements domestiques vont changer de cours. Alors que Casimir Dudevant, retiré sur ses terres de Guillery depuis le procès en séparation, a donné son assentiment au mariage de Solange avec Fernand de Préaulx, celle-ci, en compagnie de George, rencontre le sculpteur Jean-Baptiste Clésinger. Mère et fille sont enthousiastes. Des amis mettent George en garde contre le caractère fantasque et les frasques du jeune homme. Rien n'y fait. Solange rompt ses fiançailles. Clésinger mène l'affaire à la hussarde, rejoint Solange à Nohant, se précipite à Guillery pour convaincre son futur beau-père et, trois mois à peine après leur première rencontre, Solange épouse le sculpteur. Dans toute cette affaire, George a joué le boutefeu. Comme si elle se laissait séduire elle-même par l'énergie et l'entrain de son futur gendre. Comme si, peut-être, elle voulait en finir une fois pour toutes avec la charge d'une fille aussi rétive.

Commencent alors les semaines les plus difficiles. Le couple s'endette. Clésinger propose... d'hypothéquer Nohant ! Solange semble avoir joué un triste rôle dans une affaire de lettre anonyme par jalousie pour celle que G. Sand nomme sa « fille adoptive » : ses calomnies (allusions à une liaison d'Augustine avec Maurice) auraient fait rompre le mariage souhaité par George. Le 11 juillet, la tension est si forte qu'une scène éclate, mettant aux prises Clésinger d'une part, George et son fils de l'autre. Clésinger menace de frapper George : le fils de celle-ci s'empare d'une arme. Ce sont Borie – le secrétaire de George – et le curé de Saint-Chartier, présent ce jour-là, qui s'interposent et séparent les combattants. Les gestes irréparables ont été commis ; les époux Clésinger emplissent leurs malles - d'objets leur appartenant et d'autres qu'ils accaparent -, puis repartent pour Paris.

Pendant ce temps, Chopin est dans la capitale. Il y a séjourné de plus en plus, sans George, au cours des deux dernières années. Jusqu'alors, elle avait veillé avec des soins jaloux à l'installation de son « petit » dans l'appartement parisien. Elle couvrait de recommandations Marie de Rozières et l'amie Charlotte Marliani qui partageait avec eux l'organisation matérielle, square d'Orléans. Qu'il trouve « sa chambre ouverte, aérée, et de l'eau chaude pour sa toilette », qu'on lui prépare le matin « une tasse de chocolat ou de bouillon », que le cuisinier polonais lui prévoie « un petit pot-au-feu et une côtelette », et comme le pianiste n'a guère d'appétit, « il faut que [vous le] sermonniez »... « Forcez-le à se soigner [...], [mais] ne lui dites pas que je vous mets ainsi à ses trousses. » La sollicitude de George n'avait d'égale que sa crainte que Chopin ne la devinât.

Pourtant, au fil des ans, les signes de mésentente quotidienne se sont accumulés. De ces irritations qui fissurent les couples. C'est George qui se moque des travers de Chopin, de ses raffinements aristocratiques : « Chopin est tout étonné de suer. Il en est désolé, il prétend qu'il a beau se laver, qu'il empeste. Cela nous fait rire aux larmes de voir un être aussi éthéré ne pas vouloir consentir à suer comme tout le monde, mais ne parlez pas de ça, il en serait furieux », écrit-elle à Mlle de Rozières dont le musicien abomine pourtant la coquetterie et les indiscrétions. « Si le monde, si vous-même saviez qu'il sue, il ne pourrait plus vivre. Il n'empeste que l'eau de Cologne, mais nous lui disons qu'il sent comme Pierre Bonin, le menuisier, et il se fuit, en courant dans sa chambre, comme poursuivi par sa propre empestation. » Et, ces méchancetés mises à part, reviennent les plaintes à l'égard de la jalousie maladive du pianiste.

Lorsque la scène du 11 juillet avec Solange a éclaté, elle attend de lui quelque réconfort. Il se tait, puis prend parti pour la fille contre la mère. C'en est trop pour George. L'ami de neuf ans « passe à l'ennemi ». Elle décide de rompre. Sa lettre du 28 juillet 1847 à Frédéric Chopin se termine ainsi : « Adieu mon ami, que vous guérissiez vite de tous maux [...]. Je remercierai Dieu de ce bizarre dénouement à neuf années d'amitié exclusive. Donnez-moi quelquefois de vos nouvelles. Il est inutile de jamais revenir sur le reste. » A Marie de Rozières qui l'accuse de bouderie ou de colère, elle répète qu'elle est calme, qu'elle ne veut de nouvelles que de la santé de Chopin. « Le reste ne m'intéresse nullement et je n'ai pas lieu de regretter son affection. »

Solange en allée dans les pires conditions, la sérénité de Nohant perdue, le compagnon de neuf ans transformé en Judas, George a quelque raison de se voir assiégée, dans son corps tout entier, par « un je ne sais quel ennemi ». Pourtant, quelques mois plus tard, elle retrouve confiance et courage avec Victor Borie, le rédacteur qu'elle a choisi pour *L'Éclaireur de l'Indre,* son cadet de quatorze ans qu'elle surnomme le

« Potu », le pataud, le cher gros... Surtout, elle va connaître, à partir de mars 1848, son premier engagement éclatant sur la scène politique : George Sand entre en Révolution.

Pour comprendre l'élan qui emporta l'écrivain pendant quelques semaines, il faut relire les pages adressées, en 1834, à son ami Rollinat, pour la quatrième *Lettre d'un voyageur.* « Tu me connais pourtant, toi... Tu sais que si quelque chose m'élève au-dessus de tant d'êtres méprisablement médiocres dont le monde est encombré, ce n'est pas le vain éclat d'un nom ni le frivole talent d'écrire quelques pages. Tu sais que c'est la forte passion du vrai, le sauvage amour de la justice. Tu sais qu'un orgueil immense me dévore, mais que cet orgueil n'a rien de petit ni de coupable, qu'il ne m'a jamais porté à aucune faute honteuse, et qu'il eût pu me pousser à une destinée héroïque [...]. Eh bien ! mon ami, que ferai-je de ce caractère ? [...] Qui m'écoutera, qui me croira ? Qui vivra de ma pensée ? Qui, à ma parole, se lèvera pour marcher dans la voie droite et superbe où je voudrais voir aller le monde ? »

En 1848, elle va croire, quelques semaines, à sa mission. Mission de faire changer l'ordre des choses, la société et les hommes. Plus modestement, tentative, pour l'intellectuelle d'audience nationale, de faire communiquer le « peuple » de son terroir berrichon et le peuple de Paris, la capitale et la province. Tout au long des événements, sans perdre la tête, George saura qu'il ne s'agit pas seulement d'avoir raison, qu'il faut convaincre et être compris.

George s'était toujours passionnée pour les idées sociales, elle n'aimait pas la politique. Celle-ci, pour la jeune baronne Dudevant, avait été l'affaire des hommes. Un passe-temps verbeux qui convenait à Casimir. En avril 1829, elle lui écrivait : « Pendant que tu trottes là-bas, que tu entends remuer l'État, que tu fais peut-être des traités de politique dans les salons (tâche qu'ils soient plus clairs que ceux qui endorment Hippolyte dans le nôtre), tandis enfin que tu te lances dans les grandes choses et dans les longues paroles, je suis tout absorbée dans mes crayons. » Les élections de 1830 l'avaient ennuyée : « On ne parle que d'élections de gens triomphants, de gens enfoncés, et d'entendre dire toujours la même chose, ça hébète, ou ça embête, comme vous voudrez. Toute cette canaille électorale me sort par les yeux et par les oreilles. » Elle ne s'adressait alors à son député, François Duris-Dufresne, que pour lui transmettre une lettre de sollicitation, et elle s'excusait d'avoir si peu la tête politique : « Je suis trop femme (je le confesse à ma honte) pour être un bien chaud partisan de telle ou telle doctrine. » Trop femme ? Voire... Elle stigmatisait, dès 1831, la vie politicienne confondue avec la carrière de quelques-uns : « La politique absorbe tout. Elle occupe tout le monde, et au point où nous en sommes les idées sont représentées, comme on l'a dit, par des noms propres. Je n'ai guère de passion pour tout cela. » Dans ces années trente, le retour à Nohant signifiait l'oubli de la vie publique, la halte nécessaire à l'écart du vacarme de l'Histoire : « Depuis que je suis ici, je n'ai pas ouvert un journal.

J'ai de la politique plein le dos et je veux respirer en paix dans ma retraite de Nohant, oublier le roi et la république, les saints, le Diable et le reste. Croyez-moi, laissons-les débrouiller leurs affaires, nous n'y ferions rien de bon... Je suis d'un égoïsme effroyable... »

En septembre 1831, pourtant, quatre mois plus tard, elle pleurait sur l'écrasement de la révolte polonaise par l'armée tsariste : « Eh bien, à propos ! Nous avons laissé tuer la Pologne ? Est-ce infâme ? Mais croyez-vous que c'en soit fait ? Une nation peut-elle périr ? » Elle ajoutait pourtant, et c'était un leitmotiv, ces années-là, dès qu'elle touchait à un sujet d'intérêt général : « Je sais bien que cela ne regarde pas les femmes. »

Pourtant, elle a été journaliste au *Figaro.* Elle y a même commis un article si piquant sur le luxe de précautions prises par Louis-Philippe contre l'opposition que le journal a été saisi. Mais, quand on lui avait demandé sa collaboration à *La Revue du Cher et de l'Indre,* elle s'était récusée : « Je ne me sens pas capable d'écrire sur des questions politiques. Cela demande une instruction et un jugement que je n'ai point. » Elle avait travaillé au *Figaro,* précisait-elle, « par misère bien plus que par patriotisme » et ne se sentait pas de taille à « discuter gravement les intérêts de l'État ». Dans les journaux, disait-elle, « à peine si je lis le feuilleton... Vous avez bien trouvé en moi votre redresseur de torts ! Je me soucie bien de votre stupide engeance !... Si jamais je me mêle de la prêcher et de l'instruire, je veux qu'on m'envoie à

Charenton ». Elle confondait alors action morale et politique, et, l'homme n'étant point bon, elle avait abandonné tout projet de l'améliorer. « Tous les hommes sont gourmands, fripons et sots. Cela a été découvert avant nous et sera applicable après nous. » Elle choisissait donc l'individualisme contre l'action publique.

Elle avait vibré un moment pour les Trois Glorieuses de 1830. Mais la promesse de renverser l'autorité monarchique n'avait pas été tenue. Louis-Philippe avait remplacé Charles X. « La révolution de juillet tombée dans le ruisseau, nos libéraux d'hier devenus tyrans aujourd'hui, ah ! mon pauvre ami, quel soufflet pour les bonnes gens comme nous, qui nous disions du parti de ces gredins-là !... Tout ce que nous avons à faire, c'est de les laissser s'injurier, se prendre aux cheveux, se rouler pêle-mêle dans la crotte, et de faire notre métier honnêtement sans les regarder seulement faire le leur. » Vive donc l'amitié, à bas la politique !

Surtout, George déteste la violence. Elle était à Paris, en juin 1832. Le 5, elle promenait Solange au Luxembourg. Elle fut prise dans les flots croisés de la manifestation contre Louis-Philippe et de sa répression. Elle se réfugia dans son appartement du 25, quai Saint-Michel, assista de ses fenêtres aux affrontements : elle apprit ensuite, à travers les récits du carnage du cloître Saint-Merri, le sens des cris qui l'avaient effrayée. On sait que plusieurs centaines de personnes y furent massacrées. Pendant longtemps, dit-elle, la simple vue d'une boucherie ou de la viande la ferait fuir. Elle en retira un dégoût invincible pour toute velléité à imposer les idées par la force : « J'ai vu le combat sous ma fenêtre, j'ai vu la Seine teintée de sang, j'ai vu la morgue encombrée de cadavres, j'ai vu d'aussi horribles choses que tout sentiment de patriotisme ou de philanthropie est mort dans mon cœur. Je voue donc les hommes au diable, au principe du mal qui les a engendrés. Je hais les rois et les héros non moins sanguinaires qui veulent proclamer la liberté à tout prix », et elle soulignait rageusement cette dernière formule.

Sa première réaction aux événements de 1848 sera donc de méfiance : Paris manifeste. La garde nationale prend le parti de l'opposition, c'est la fusillade du boulevard des Capucines, l'abdication de Louis-Philippe, la formation d'un gouvernement provisoire favorable à la République. Le gouvernement est collégial, « chef d'État à onze têtes », où, pour signer les décisions, n'apparaissent point de titres, sinon, face au nom d'Arago « de l'Institut », face à celui d'Albert « ouvrier » ! Le 24 février, l'équipe, formée des deux tendances « libérale » et « démocrate » (c'est-à-dire non socialiste, et prosocialiste) du parti républicain, proclame « vouloir » la république. Et cette déclaration est ratifiée par l'acclamation de cent mille témoins en place de Grève. République généreuse qui se donne comme premiers principes la mise en place du suffrage universel, l'abolition de l'esclavage dans les colonies, l'abolition de la peine de mort en matière politique.

Paris accomplissait presque pacifiquement une

révolution, établissait ce régime républicain que George Sand avait appelé de ses vœux depuis tant d'années, et l'écrivain était loin, à Nohant ! A l'annonce des mouvements de rue, elle avait d'abord frémi pour son fils Maurice, parti dans la capitale début février. Le 7 de ce mois, elle lui écrivait une longue lettre, pleine de détails matériels : l'inventaire du linge et du mobilier de l'appartement du square d'Orléans, abandonnés pour n'y pas rencontrer Chopin, le récit d'un rêve embrouillé et passablement scatologique, des conseils pour récupérer de l'argent auprès des éditeurs. Seules allusions politiques : quelques lignes sur les soulèvements en Italie et un mot sur Bakounine pour lequel elle était intervenue : « Je lui ai répondu, avouant que nous étions gouvernés par de la canaille, et que nous avions grand tort de nous laisser faire. » La correspondance de ces jours-là se poursuit surtout avec les cousins de Villeneuve auxquels elle expédie, à Chenonceaux, de longues missives interrogeant son aristocratique cousin sur sa généalogie : la « grande affaire », pour elle, en ce moment, est l'écriture d'*Histoire de ma vie.* Elle est si peu prête à regagner la capitale qu'elle écrit à Hortense Allart, le 16 février : « Ne m'écrivez donc plus à Paris, je n'y suis pas, je n'y vais pas, je n'y ai même plus d'appartement » ; elle désire seulement, sans prendre parti ni pour Guizot ni pour Thiers, « que nous respirions dans un air un peu moins mortel ». Le 18 février, sujets d'une autre lettre à Maurice : des recherches qu'il doit mener à Paris sur les états de service de son grand-père, pour les Mémoires encore ;

les tribulations du couple Clésinger ; et puis un mot sur les événements : George ne fait que rapporter l'état d'esprit de son ami-secrétaire, le Potu. « Borie est sens dessus dessous à l'idée qu'on va faire une révolution dans Paris. Mais je n'y vois pas de prétexte raisonnable dans l'affaire des banquiers. C'est une intrigue entre ministres qui tombent et ministres qui veulent monter. Si l'on fait du bruit autour de leur table, il n'en résultera que des horions, des assassinats... je ne crois pas que le peuple prenne parti pour la querelle de monsieur Thiers contre monsieur Guizot. Thiers... ne donnera pas plus de pain aux pauvres que les autres. Ainsi je t'engage à ne pas aller flâner par là, car on peut y être écharpé sans profit pour la bonne cause. »

Toutes les réactions spontanées de George sont là : mépris des carriérismes, méfiance à l'égard des politiciens, affirmation que la question essentielle est celle de la répartition des richesses, refus de la violence... Par-dessus tout, elle veut protéger Maurice, qu'elle sait assez badaud, d'un mauvais coup possible : « Écris-moi ce que tu auras vu de loin, et ne te fourre pas dans la bagarre, si bagarre il y a, ce que je ne crois pourtant pas. » Le lendemain, quelques mots encore pour régler des problèmes d'argent : réclamations aux éditeurs, pourboires à donner aux portiers des anciens appartements ! avec, seulement, le conseil réitéré : « Ne va pas dans la bagarre. » Le 23 février, elle le rappelle à Nohant : crainte de mère, où perce aussi la question des relations entre événements nationaux et vie provinciale qui retiendra tellement l'attention de George Sand un peu plus tard : « Une révolution à Paris aurait son contre-coup immédiat dans les provinces, et surtout ici où les nouvelles arrivent en quelques heures. »

Mais à l'annonce de l'abdication de Louis-Philippe, de la proclamation de la République, George Sand ne tient plus en place. Elle veut être de l'Histoire. Le 1er mars, elle est à Paris. Le 2, elle obtient de Ledru-Rollin, ministre de l'Intérieur, un laissez-passer lui donnant accès auprès de tous les membres du gouvernement provisoire. Le 4, c'est des fenêtres du ministère des Affaires étrangères qu'elle assistera aux funérailles solennelles des victimes de février. Le 7, elle fait paraître sa première *Lettre au peuple* et retourne à Nohant où elle veut veiller elle-même à l'établissement de la République en Berry. Les missives qu'elle a expédiées de Paris, pendant cette semaine où elle prend contact avec le nouveau pouvoir, témoignent du nouveau tour que prend son existence. Billets rapides pour des interventions qu'on sollicite d'elle, allusions prudentes à ses contacts : « J'ai eu le plaisir de dîner hier chez un illustre ami dont je n'ai pas besoin de vous dire le nom... J'ai été au ministère. J'ai vu les listes, toutes les commissions sans exception étaient données... » Elle écrit pourtant plus longuement aux cousins de Chenonceaux, leur expliquant avec délicatesse qu'ils ne doivent pas craindre le nouveau régime : « J'espère que vous n'avez ni chagrin ni inquiétude... Le peuple a été sublime de courage et de douceur. Le pouvoir est généralement composé d'hommes purs et honnêtes. Je suis venue m'assurer de tout cela par mes yeux, car je suis intimement liée avec plusieurs. »

Quelle allégresse alors pour l'écrivain ! Elle navigue de Paris à Nohant, de Nohant à Paris, ramenant à leur juste place – une toute petite ! – les problèmes matériels dont elle s'encombre d'ordinaire. A Augustine, elle annonce son retour à la maison : « Je n'aurai besoin que de mon lait et de mon frugal souper de tous les soirs. Une boule d'eau dans mon lit, une bouillotte au feu et voilà. » Elle a retrouvé la joie et la santé perdues : « Je cours toujours et je me porte bien, malgré la fatigue et le court sommeil... Tous mes maux physiques, toutes mes douleurs personnelles sont oubliés. Je vis, je suis forte, je suis active, je n'ai que vingt ans... » A Paris, elle n'ira pas habiter le 3, square d'Orléans qu'elle avait loué près de Chopin. Elle loge rue de Condé, dans un petit appartement occupé par Maurice. Fièrement, elle écrira à son fils retourné en Berry : « Je suis toujours dans ta cambuse et j'y resterai peut-être. C'est une économie. » Elle ne peut s'empêcher d'ajouter : « Le gouvernement provisoire vient m'y trouver tout de même. »

George a le sentiment, bien justifié sans doute, d'être au cœur de l'Histoire qui se fait. « Je vois tous les jours nos gouvernants », indique-t-elle à Augustine. A ses cousins Villeneuve, elle glisse : « Je sais mieux que personne ce qui se passe et dans le sein du gouvernement et dans le fond des faubourgs. » Il est vrai que, liée à Ledru-Rollin au service duquel elle va mettre sa plume pour des textes officiels, et à Louis

Blanc qu'elle connaît et chérit depuis des années, elle avait ses entrées dans les deux camps du gouvernement de coalition. Au cœur des affaires, elle y prend sa place. On peut la rencontrer, écrit-elle à Delacroix, à l'heure des repas, chez Pinson, restaurant rue de l'Ancienne-Comédie. Pour le reste, elle travaille et ne ménage pas les textes ! Quelques convictions profondes la guident dans cet engagement. D'abord, c'est le peuple qui doit bénéficier des changements. Les riches doivent abandonner des privilèges, les pauvres voir leur vie s'améliorer. Pour cela, pense George, il faut obtenir l'adhésion du plus grand nombre, dans les différentes classes sociales, sans doute, et, de manière plus urgente, dans des provinces lointaines, mal informées, inquiètes de tout bouleversement. Mise en avant des revendications de justice, souci de la communication dans une société dont elle connaît les profondes différences vont donc animer les efforts de George Sand.

Sur le thème de la justice à conquérir se succèdent des libelles : « Un mot à la classe moyenne » le 3 mars 48, *Lettres au peuple* intitulées « Hier et aujourd'hui » le 7 mars, « Aujourd'hui et demain » le 19 mars, « Aux riches » le 12 mars 1848. Pour convaincre les villageois comme ceux de la paroisse de Nohant-Vicq, elle imagine de faire parler un certain Blaise Bonnin et son propos devient « Histoire de la France écrite sous la dictée de Blaise Bonnin ». Elle fonde un journal, *La Cause du peuple,* pour lequel elle rédige une longue introduction où elle implore ses lecteurs de ne pas se laisser aller – en période électorale – à ne s'intéresser qu'aux personnes : il leur faut discuter des « principes ». Méfiante à l'égard de tout esprit de « secte », elle ne désespère pas de faire « école » et de militer pour la pédagogie de la révolution. *La Cause du peuple* aura trois numéros, les 9, 16 et 23 avril 1848. Dans le même temps, l'écrivain produit encore d'autres textes, mais ils ne portent pas sa signature. Ce sont – en partie au moins – les *Bulletins de la République,* que le gouvernement provisoire publie jour après jour, et qui sont envoyés, pour affichage et lecture publique, à toutes les communes du territoire national.

Elle s'est expliquée plaisamment de cette contribution au travail gouvernemental dans une lettre à son fils Maurice (nommé alors maire de Nohant-Vicq) : « Mon Bouli, me voilà déjà occupée comme un homme d'État. J'ai fait déjà deux circulaires gouvernementales aujourd'hui, une pour le ministère de l'Instruction publique et une pour le ministère de l'Intérieur. Ce qui m'amuse, c'est que tout cela s'adresse aux maires, et que tu vas recevoir par la voie officielle les instructions de ta mère. Ah ! Ah ! monsieur le maire ! Vous allez marcher droit, et pour commencer, vous allez lire vos *Bulletins de la République* tous les dimanches à votre garde nationale réunie. Quand vous l'aurez lu, vous l'expliquerez, et quand ce sera fait, vous afficherez ledit *Bulletin* à la porte de l'église. Les facteurs ont l'ordre de faire leur rapport contre ceux des maires qui y manqueront. » Elle ajoute pour ce maire un peu malgré lui, peu passionné par sa charge, quelques conseils pratiques qui ne manquent pas de sagesse : elle réprouve l'idée, émise par Maurice, de séparer Vicq de Nohant, traitant au passage de la question si importante pour la politique française de la taille des communes : « Cette rivalité est à détruire et non à encourager. Ces petites communes isolées ne pourront rien, elles ne pourront l'une sans l'autre faire les dépenses nécessaires à leur bonne gestion. C'est comme un ménage qui dépense double en se divisant en deux individus. » Elle lui suggère surtout de préparer soigneusement sa succession en soignant les relations avec les électeurs : « Tu feras bien de te faire chérir... afin d'être écouté quand tu proposeras ton remplaçant. Songe aussi à ce remplaçant d'avance, et à le connaître digne, capable, et bien dévoué à la chose publique. »

Tout le reste de sa vie, George veillera à l'évolution politique de son petit territoire. En soutenant telle candidature de député, en décourageant telle autre, en veillant à la nomination d'un préfet ou de fonctionnaires locaux quand elle le pourra. Durant les semaines bouleversées du printemps 1848, le Berry est plutôt pour elle l'occasion d'expérimenter la popularité des mesures prises à Paris, d'apprécier aussi l'inévitable décalage entre les idées défendues par les rénovateurs de la capitale et l'attente méfiante de la France rurale. Pour réduire cet écart, l'écrivain se fait militante. Inlassable, elle argumente, elle chapitre, elle exhorte. Prise entre le goût de la démonstration et la tentation de la catéchèse, elle écrit, elle écrit.

Elle saisit bien l'importance des élections fixées

d'abord au 9, puis reportées au 23 avril à la demande de Blanqui et des « socialistes » qui craignaient un vote modéré d'une province mal informée. « La République, écrit Sand pour la classe moyenne, n'aura que des hommes libres, égaux en droits. » Pourtant, l'instrument de ce droit repose sur une représentation correcte des différents groupes sociaux, du peuple en particulier. George Sand, dès son premier libelle du 3 mars, fait la proposition que chaque département élise au moins, parmi ses représentants, un ouvrier et un paysan. Et qu'on y prenne garde, si un tel partage n'était pas assuré, le peuple pourrait conquérir par d'autres voies le pouvoir qu'on lui refuserait – « pourquoi irriter le lion qui s'est fait homme ? On ne le tromperait pas longtemps désormais ». Elle presse tous ses correspondants en ce sens. A Frédéric Girerd, elle écrit le 8 mars : « Cherche avec soin un ou deux hommes du peuple parmi les candidats. Un ouvrier et un paysan. Il est impossible que ces deux hommes ne se trouvent pas dans chaque département. Il n'est pas nécessaire qu'ils soient orateurs, il faut qu'ils comprennent, qu'ils aient confiance à l'un des députés du pays qui s'inspirera de leurs besoins et de leur bon sens. » Charles Duvernet relatait ainsi dans son *Journal* la croisade menée par son amie George : « Nous avons assez d'avocats et de savants, disait-on. Envoyez-nous des blouses. »

Les *Lettres au peuple* contiennent, comme on pourrait s'y attendre, et en termes lyriques, l'affirmation cent fois répétée de la mission du corps souffrant de la nation. « Doux comme la force ! O peuple, que tu es fort, puisque tu es si bon. » Le peuple, c'est le Christ « roi des victimes »... Les courriers qu'elle envoie, aux mêmes dates, à ses amis sont moins grandiloquents, mais développent tous le même thème : « Le peuple de Paris est si bon, si indulgent, si confiant dans sa cause et si fort, qu'il aide lui-même son gouvernement », écrit-elle au poète-ouvrier Poncy qu'elle encourage à se présenter au scrutin de Toulon.

L'élection ne fut pas ce que George attendait. Les candidats qu'elle espérait ne se présentèrent pas, ou ne furent pas élus, et la Chambre compta seulement trente-quatre ouvriers et seize agriculteurs. De plus en plus, au fil des semaines de campagne, le résultat se laissait prévoir. L'écrivain confiait à son fils, dès le 24 mars : « Le gouvernement et le peuple s'attendent à des mauvais députés et ils sont d'accord pour les ficher par la fenêtre... On joue le tout pour le tout, mais la partie est belle. » Dans les révolutions, la question demeure toujours la même : quand le pouvoir de la rue doit-il céder devant le verdict des urnes ? Quelle est la source de la légalité ? George, cependant, ne se contentait pas d'en deviser avec son fils. Chez elle se tenaient – préparés, ou spontanés après les réunions officielles ? – des « conciliabules », comme elle disait... On y mesurait les possibilités d'une manifestation, on craignait que Blanqui n'en tirât profit à gauche. George résumait, en un document de cinq pages, un « projet de gouvernement pour la seconde république ». Dans le même temps, elle fournissait au ministre de l'Intérieur le *Bulletin de la République* numéro 16. Il parut le 15 avril. Le 16 se déroulaient une manifestation populaire et une contre-manifestation en faveur du gouvernement. C'est bien plus tard, pourtant, qu'on parlera de l'influence de ce fameux bulletin numéro 16, au moment où, le 15 mai, la foule envahit la Chambre, entraînant une répression violente : Albert, l'ouvrier du gouvernement provisoire, Barbès, Leroux et d'autres sont arrêtés. Louis Blanc est molesté. George Sand regagne Nohant le 18 mai. Dans la capitale, le bruit court qu'elle exhortait la foule pendant la manifestation à l'Assemblée nationale. Elle s'en défendra avec force ; elle reconnaîtra volontiers en revanche sa responsabilité dans l'écriture du *Bulletin* numéro 16 qui aurait joué un tel rôle ! Responsabilité que le seul hasard avait rendu entière : les bulletins devaient être revus par des collaborateurs proches du ministre de l'Intérieur. Le numéro 16 avait échappé par hasard à la correction, et le texte de George, tout chaud, était passé directement sur les placards de la République.

Que contenait donc ce « bulletin » ? G. Sand y développe une fois de plus le thème de la « vraie » représentation nationale, celle qui ferait place à toutes les composantes du peuple. S'y joint une menace : si les élections « ne font pas triompher la vérité sociale [...], il n'y aurait alors qu'une voie de salut pour le peuple qui a fait les barricades, ce serait de manifester une seconde fois sa volonté, et d'ajourner les décisions d'une fausse représentation nationale » ; et encore, en antiphrase : « Citoyens, il ne faut pas que vous en veniez à être forcés de violer vous-même le principe de votre souveraineté. » L'écrivain avait été reconnue à tort dans la foule du 15 mai. Sa plume fut reconnue à raison dans les écrits qui mettaient en doute, dès avant l'élection, la légitimité de la future assemblée. Ses ennemis ne devaient pas se priver d'exploiter le texte du *Bulletin* numéro 16. Un petit livret, paru dès 1848, regroupe les vingt-cinq numéros de cette publication. La préface n'est pas signée. Elle prend à partie violemment George Sand. Sans doute l'auteur anonyme fait-il porter à Ledru-Rollin la paternité des commissaires de la République, de leur rôle et de leur échec dans la préparation du scrutin du 23 avril 1848. Mais quand il est question des textes eux-mêmes, il écrit : « On y reconnaît, sans peine, les idées, le style et la touche d'un bas-bleu célèbre, voué, depuis quelques années, à la défense de son sexe ; l'auteur de *Lélia* et de *Valentine* se laisse deviner à chaque ligne, George Sand y occupe une chaire de morale à l'usage des femmes. »

L'image d'une George Sand scandaleuse était depuis longtemps installée dans l'esprit de ses contemporains. La voici maintenant dangereuse. Représentant l'agitation révolutionnaire théoricienne des idées ravageuses du « communisme ». Elle se défend de l'accusation, tout en raillant les accusateurs. Il est curieux d'observer d'ailleurs le texte de sa « Lettre aux riches » du 12 mars 1848. Il débute – et c'est une coïncidence – par des mots identiques à ceux qu'emploie Karl Marx dans le *Manifeste* du communisme de 1848. On connaît les termes du célèbre libelle : « Un spectre hante le monde : celui du communisme... » Lisons George Sand : « La grande crainte ou le grand prétexte de l'aristocratie, à l'heure qu'il est, c'est l'idée communiste. S'il y avait moyen de rire dans un temps si sérieux, cette frayeur aurait de quoi nous divertir. Sous ce mot de communisme, on sous-entend le peuple, ses besoins, ses aspirations. Ne confondons point : le peuple, c'est le peuple ; le communisme, c'est l'avenir calomnié et incompris du peuple. » Simple talent pour retourner l'accusation ou vision prémonitoire ?

En tout cas, le préfacier des *Bulletins de la République* visait bien mal en prêtant à George l'intention d'occuper « une chaire morale à l'usage des femmes ». L'attaque ainsi menée ne peut prouver qu'une chose : que le féminisme était l'étiquette la plus appropriée pour atteindre la réputation de la romancière. Car George Sand est loin de s'engager sur ce terrain. Le 8 avril, elle a envoyé aux journaux *La Réforme* et *La Vraie République* un démenti quant à sa candidature à l'Assemblée. Deux jours auparavant, par le canal de *La Voix des femmes,* Eugénie Niboyet avait publié cette proposition : « [...] Nous voulons nommer Sand. La première femme appelée à l'Assemblée constituante devrait être acceptée par les hommes. Sand ne leur est pas semblable, mais son génie les étonne et peut-être, magnifiques rêveurs, ils lui font l'honneur d'appeler mâle son génie. Elle s'est faite homme par l'esprit, elle est restée femme par le côté maternel. Sand est puissante et n'effraie personne. C'est elle qu'il faut appeler par le vœu de toutes au vote de tous. »

George répond sèchement :

« 1°. J'espère qu'aucun électeur ne voudra perdre

son vote en prenant fantaisie d'écrire mon nom sur son billet.

2°. Je n'ai pas l'honneur de connaître une seule des dames qui forment des clubs et rédigent des journaux.

3°. Les articles qui pourraient être signés de mon nom ou de mes initiales dans ces journaux ne sont pas de moi.

Je demande pardon à ces dames qui, certes, m'ont traitée avec beaucoup de bienveillance, de prendre des précautions contre leur zèle.

Je ne prétends pas protester d'avance contre les idées que ces dames ou toutes autres dames voudront discuter entre elles ; la liberté d'opinion est également pour les deux sexes, mais je ne puis permettre que, sans mon aveu, on me prenne pour l'enseigne d'un cénacle féminin avec lequel je n'ai jamais eu la moindre relation agréable ou fâcheuse. »

Quelques jours plus tard, le comité central, qui, au nom de la gauche, donnait son investiture aux candidats, propose de l'accorder à George Sand. Celle-ci prépare alors une réponse de refus. Candidature impossible sans doute puisque les femmes n'étaient ni électrices ni éligibles. Mais ce n'est pas ce qui arrête l'écrivain. C'est le « principe » même d'une candidature politique féminine qu'elle conteste. Démonstration argumentée et prolixe où l'idée essentielle est la suivante : la femme sera mineure socialement tant qu'elle n'aura pas conquis l'égalité des droits civils dans la famille. Elle ne pourra exercer de mandat politique en toute indépendance que lorsqu'elle sera dégagée de la « tutelle » conjugale où la tient le code Napoléon. La république socialiste devra s'attaquer en premier lieu à une réforme du mariage, en consacrant l'égalité des époux. « Quand on demande comment pourra subsister une association conjugale dont le mari ne sera pas le chef absolu et le juge et partie, sans appel, c'est comme quand on demande comment l'homme libre pourra se passer de maître et la république de roi. » Selon elle, on ne peut renverser l'ordre des termes : « Vous, femmes, qui prétendez débuter par l'exercice des droits politiques, vous vous amusez à un enfantillage. Votre maison brûle, votre foyer domestique est en péril et vous allez vous exposer aux railleries et aux affronts publics. » George, attaquée depuis près de vingt ans sur la liberté de sa vie et de ses écrits, sait de quoi elle parle. Elle se dit « solidaire » des femmes des clubs contre les « railleurs », mais elle redoute plus que tout que le combat féministe ne soit tourné en dérision.

Cette mise en garde adressée par George Sand à ses contemporains a surpris et choqué. Elle étonne encore plus quand on connaît l'engagement actif de l'écrivain dans le mouvement de 1848. Pourtant, elle ne dérogera jamais à cette règle de conduite. En plus des arguments qu'elle développa elle-même sur l'antériorité nécessaire des droits civils par rapport aux droits politiques, nous devons être attentifs à deux aspects de la personnalité de l'écrivain, qui éclairent cette démarche.

George Sand est une « timide », et ce n'est pas le moindre paradoxe de ses comportements. Tout d'une pièce, elle affiche, apparemment sans crainte du scandale, des conduites insupportables à ses contemporains. Pourtant, elle a toujours décrit ses difficultés à s'exprimer en public, ses peurs paralysantes face à ses interlocuteurs. A certains moments de sa vie, elle refuse des visites, prise de panique à devoir sortir de sa « sauvagerie ». Les anecdotes sont légion où elle nous est montrée, incapable d'articuler un mot devant un inconnu, allumant une cigarette pour s'éviter d'avoir à parler. Elle fuit des rencontres pour ne pas paraître « stupide » au cours d'une conversation. Elle dit ne s'intéresser aux modes vestimentaires que par peur de se distinguer en s'en éloignant. Que cette sensitive ait redouté plus que tout les plaisanteries, les railleries, ne nous étonnera donc pas ; et quand on sait que la meilleure arme des antiféministes a toujours été le maniement du ridicule, on comprend que George, acceptant de livrer de rudes batailles sur les terrains des idées et des mœurs, se soit gardée de toute manifestation qu'on pût juger mesquine ou excessive.

Reste aussi la « sagesse » de George. Pour elle, la politique est du terrain de « l'opportunité ». Ce qui l'intéresse le plus, ce sont les principes à défendre. Mais, avec réalisme, elle sait qu'il faut être admis, accepté ; elle voit toutes les différences entre les cercles parisiens, La Châtre et ses bourgeois, Nohant et ses paysans. Quelle serait « l'opportunité » d'une candidature de provocation, illégitime, sans succès possible ? Elle préfère l'action politique par la plume, la plume célèbre de ses livres, la plume militante de ses libelles, la plume convaincante et intime de ses correspondances.

Elle se le rappellera avec amertume trois mois plus tard. Terminée la révolution joyeuse. Les journées de juin en ont signé la fin sanglante. Fermés les ateliers nationaux qui promettaient du travail pour tous. Les militants ouvriers sont arrêtés. Parmi les exilés, Louis Blanc et Barbès.

C'est à Armand Barbès que George adresse, après sa nuit d'écriture, le 23 août 1848, *La Petite Fadette*. Cette histoire sera pour ses « chers prisonniers [...], puisqu'il nous est défendu de leur parler politique, nous ne pouvons que leur faire des contes pour les distraire ou les endormir. Je dédie celui-ci, en particulier, à Armand »... Dans la préface qui contient cette dédicace, George dit sa tristesse : « Les hommes ont empiré, et nous comme les autres. Les bons sont devenus faibles, les faibles poltrons, les poltrons lâches, les généreux téméraires, les sceptiques pervers, les égoïstes féroces... »

Et quand son interlocuteur lui demande : « Et nous [...] que sommes-nous devenus ? », elle a ce mot : « Nous étions tristes, nous sommes devenus malheureux. »

Elle a retrouvé, à Nohant, Maurice, Victor Borie et quelques autres. Ils improvisent du théâtre et vont s'inventer, pour remplacer les acteurs absents des saisons précédentes, des spectacles de marionnettes. Les paysans viendront bien crier sous les fenêtres du « château » : « A bas les communisques », George aura tôt fait de s'imposer à nouveau dans l'entourage berrichon. Elle tentera d'oublier son grand musicien. Elle essaiera d'éviter les visites et les esclandres de Solange. Elle remplira ses nuits des pages d'*Histoire de ma vie*... Elle songera à ce « beau rêve de république fraternelle ». Heureusement, il reste sa « baraque » : « Le monde n'est plus qu'une pétaudière, et je remercie Dieu tous les jours d'avoir un Nohant pour y oublier tout cela. »

6

Mardi 1er juin 1858

« Il a poussé des sapins et des chênes verts dans mon cerveau et j'ai deux mois pour faire la besogne de deux ans peut-être ! »

« J'arrive à la vieillesse avec une soif d'apprendre, car j'ai vécu sans rien savoir et sans avoir le temps de rien. »

« Le mystère, l'attente... De l'intelligence et de la bonté, un quant-à-soi farouchement conservé. »
Dessin de Couture, coll. T.
Cl. Françoise Foliot.

GEORGE va avoir cinquante-quatre ans... Nous l'avons quittée heureuse dans sa retraite de Nohant... Aujourd'hui, 1er juin 1858, elle goûte le bonheur de s'évader de Nohant à Gargilesse, un village de la Creuse toute proche. Plus va la vie, plus George se fait l'âme nomade. Avide de se désencombrer, sans cesse, des pesanteurs qui l'enchaînent. Nohant, c'est une maison lourde : domestiques, invités, visiteurs, solliciteurs, et le courrier chaque jour. De temps à autre, elle regarde avec des yeux d'étrangère le plat Berry. « Je subis, depuis que je suis au monde, les plaines calcaires et la petite végétation de chez nous avec une amitié réelle, mais très mélancolique. » Sa santé, pense-t-elle, s'altère « dans cet air mou que nous respirons ». Et puis Nohant, ce sont des « biens ». George n'aime ni la possession ni les possédants : « J'ai la haine de la propriété territoriale, je m'attache tout au plus à la maison et au jardin. Le champ, la plaine, la bruyère, tout ce qui est plat m'assomme, surtout quand ce plat m'appartient, quand je me dis que c'est à moi, que je suis forcée de l'avoir, de le garder, de le faire entourer d'épines, et d'en faire sortir le troupeau du pauvre. »

George a commencé hier, avant-hier peut-être, une lettre à son ami Ernest Périgois. C'est pour lui qu'elle écrit ces lignes, pour qu'il ait un peu moins d'amertume aux heures de l'exil. L'attentat d'Orsini, le 14 janvier 1858, avait déclenché une vague de répression. Furent visés surtout des républicains de 1848, étiquetés « dangereux » par le second Empire. Périgois était du nombre. D'abord emprisonné à Châteauroux, il devait quitter la France. Solange, redevenue amicale, énergique, dans un goût du dévouement tout neuf, s'employait alors à trouver, pour cet ami et sa famille, les moyens de s'installer en Piémont. Périgois hésitait. George lui vante donc les beautés de l'Italie du Nord, du massif alpin en particulier qu'elle compare aussi à la montagne creusoise ; pour le « Berrichon des plaines », la Creuse, à deux pas, est une invitation vers les sommets : « Les bons bourgeois et les jeunes poètes de nos petites villes vont voir ces rochers, après lesquels ils croient naïvement que les Alpes et les Pyrénées n'ont plus rien à leur apprendre. » George est à Gargilesse, « Villa Manceau », écrit-elle joliment en tête de la lettre à Périgois.

« Nous avons pris Gargilesse en passion. C'est un paradis... » Les correspondants de l'été précédent ont tous reçu des missives animées de cet enthousiasme. Manceau, son ami depuis huit ans, vient d'y acheter une minuscule maison. Pour lui, pour elle. Une maison de poupée. Une maisonnette d'amoureux sages. Le graveur, très peu fortuné, a mis tout son argent dans cette acquisition, presque rien, mais un cadeau royal pour « Madame », comme il désigne George dans son agenda. L'écrivain rit de le voir si fier de ce domaine. « Manceau a son avoué, Manceau a son immeuble, Manceau est propriétaire, Manceau dit " ma maison, mon mur, ma cour, mon rocher, mon ruisseau ". Il a acheté une chaumière à Gargilesse, et je rêve d'en faire autant quand je pourrai. » Depuis, ils viennent tous deux le plus souvent possible : même en plein hiver (ils ont passé là quelques jours en janvier dernier, dans des visions de glace qui ont fait rêver George à *L'Homme de neige* qu'elle écrivait alors), mais surtout au printemps où la chaleur de cette vallée encaissée transporte l'écrivain d'humeurs italiennes.

« Chaleur du Sahara » ce matin. La petite maison encaissée dans la gorge, au bord de la rivière, est pourtant fraîche. George s'est installée à sa table dans la pièce aménagée pour elle à l'arrière de la demeure. Assise devant l'écritoire, elle aperçoit le même paysage que celui qu'elle contemple couchée, les nuits de lune : tout est si petit à Gargilesse. « D'une fenêtre grande comme un des carreaux des croisées de Nohant, je contemple de mon lit et de ma petite table de travail une vue qui n'est pas une vue. C'est un fouillis d'arbres, de buissons et de toits de tuile noire au-dessus duquel monte un horizon de rochers couronné d'un bois très ancien. » Autour d'elle, des pages et des pages. Couvertes de l'écriture ronde de son après-cinquantaine. Deux ans auparavant, elle s'est aperçue que sa calligraphie penchée et anguleuse la fatiguait. Elle a adopté alors des caractères tout ronds, tout droits, bien posés ; deux cent cinquante mille lettres pour ce *Thérèse* ou *Elle et Lui* – elle hésite encore – qu'elle a terminé avant-hier et qu'elle relit dans l'ombre de la maisonnette.

Marie Caillaud – Bélie, dit-elle –, la cuisinière de Nohant, les a rejoints pour ce séjour. Mais le couple prend ses repas à l'auberge du village, l'Hôtel Malesset, et « Bélie s'embête un peu à ne rien faire ». Ce matin, elle est partie pêcher en bateau sur la Creuse à six heures. Manceau, lui, est resté au frais : il classe ses chenilles et les dessine dans son album. Le silence est total. George relit la fin du chapitre VI : « Laurent, pâle, amer, tour à tour ironique et furieux, les cheveux en désordre, la chemise déchirée et le front ensanglanté, était si effrayant à voir et à entendre que Thérèse sentit tout son amour se changer en dégoût. » George lève la tête. Les yeux plongent vers le bois noir, de l'autre côté de la rivière. Elle rêve un moment, plume hésitante : Laurent-Alfred, Gênes et Venise. Alfred est mort l'année dernière. « La gaieté de Laurent était éblouissante de cœur et d'esprit, comme son talent », porte le manuscrit. Alfred est mort. Paul de Musset a réclamé à George les lettres adressées par Alfred à sa maîtresse. Elle a temporisé : l'échange pourrait attendre. L'ami Gustave Papet avait reçu ces lettres en dépôt. Elle les a récupérées, rouvertes sans doute au début de 1858. Elle terminait alors deux romans : *Les Beaux Messieurs de Bois-Doré* et *L'Homme de neige*. Est-ce la lecture des lettres qui l'incite à écrire un « autre roman que je tâcherai de faire court » ? Elle le commence au bord de la Creuse, lors du second séjour de 1858 à Gargilesse, du 26 avril au 3 mai. Le 29, elle note sur son agenda : « Je finis mon roman *Thérèse : Elle et Lui,* commencé le 4 mai, six cent vingt pages en vingt-cinq jours. C'est un joli coup de collier. »

George reprend sa lecture. Mécaniquement. Pages empilées, corrections, ratures. Supprimer des adjectifs, comme Musset le faisait, au crayon, sur le manuscrit d'*Indiana*. George retient, domine, maîtrise ces journées brûlantes de 1834, de 1835, qui lui firent si mal. « Ô mes yeux bleus, vous ne me regarderez plus ! Belle tête, je ne te verrai plus t'incliner sur moi et te voiler d'une douce langueur. Mon petit corps souple et chaud, vous ne vous étendrez plus sur moi, comme Élisée sur l'enfant mort, pour me ranimer... Adieu mes cheveux blonds, adieu mes blanches épaules, adieu tout ce que j'aimais, tout ce qui était à moi. J'embrasserai maintenant dans mes nuits ardentes le tronc des sapins et les rochers dans les forêts en criant votre nom, et, quand j'aurai rêvé le plaisir, je tomberai évanouie sur la terre humide. » C'était en novembre 1834. Pages indécentes du journal intime... Les deux amants se prenaient et se déprenaient.

Quelques jours auparavant, le 11 mai, l'auteur confie à son ami, Émile Aucante, dont elle a fait une sorte d'agent littéraire : « Enfin voilà ce que c'est : deux amants qui sont d'abord amis, et puis ennemis, et puis amis, et puis amants, et puis indifférents, etc. Toutes les phases d'une passion qui n'est pas heureuse, qui est décrite avec assez de chaleur pour intéresser, et où il y a de l'action. » La « chaleur » est là... « pour intéresser ! » George, à cinquante-quatre ans, a fait son pain de la blessure. Les larmes et le sang sont devenus six cent vingt pages... « C'est court, écrit-elle à Aucante, vous devriez le lire en vous endormant le soir [...] Quand le voulez-vous ? »

Tant de passages, dans *Elle et Lui*, vont raconter l'ancienne histoire. C'est Laurent, parlant à Thérèse : « Que veux-tu donc que je devienne dans cette détestable ville ?... Tu veux que je travaille ; je l'ai voulu aussi, mais je ne peux pas ! Je ne suis pas né comme toi avec un petit ressort d'acier dans le cerveau, dont il ne faut que pousser le bouton pour que la volonté fonctionne. » Et l'infatigable Thérèse de lui répondre : « Comment est-il possible qu'un homme intelligent s'ennuie... à moins qu'il ne soit privé de jour et d'air au fond d'un cachot ? N'y a-t-il donc dans cette ville... ni belles choses à voir, ni intéressantes promenades à faire aux environs, ni bons livres à consulter, ni personnes intelligentes à entretenir ? » Et ce dialogue entre Mercourt et Laurent où ils se disputent sur le portrait de la jeune femme : « Elle n'est ni si jeune ni si belle que vous dites. C'est un bon camarade, pas désagréable à voir, voilà tout... Elle a l'air d'un sphinx bon enfant... Elle n'est pas très grande, elle a de petits pieds et de petites mains. C'est une vraie femme. » Et le drôle de rapport de camaraderie amoureuse qui s'établit entre une Thérèse séduisante et absolument dépourvue de coquetterie et un Laurent revenu de tout, mais ébranlé par ce charme sévère : « Quand je parle de vous, je dis que vous n'êtes pas jeune, ou que je n'aime pas la couleur de vos cheveux. Je proclame que vous êtes ma grande camarade, c'est-à-dire mon frère, et je me sens loyal en le disant. Et puis il passe je ne sais quelles bouffées de printemps dans l'hiver de mon imbécile de cœur... » On se rappelle que Musset, dans l'une de ses premières lettres à George, lui avait écrit : « Jamais le mot ridicule de – voulez-vous ? ou de voulez-vous pas ? – ne sortira de mes lèvres avec vous. Il y a la mer Baltique entre vous et moi sous ce rapport... » Laurent reprend ces termes mêmes : « Comme en toute occasion, dès qu'il se sentait ému, Laurent se hâtait de proclamer l'infranchissable barrière de glace de la mer Baltique, elle n'avait plus peur et s'habituait à vivre sans brûlure au milieu du feu. »

Pourtant, un autre personnage du roman se nourrit de réminiscences plus complexes : l'Américain Dick Palmer. Dans la première version livrée à Buloz, Thérèse devenait la maîtresse de Palmer. L'éditeur recommanda à Sand de supprimer les passages où la femme sculpteur passait « si facilement des bras de Laurent à ceux de Palmer ». On évitait ainsi la transcription trop exacte de l'histoire George-Musset-Pagello. *Elle et Lui* y perdit peut-être... Le portrait de Dick Palmer, de toute façon, évoquait d'autres figures d'hommes. A Thérèse, malade de passion, Palmer, « homme de cœur et de loyauté », va dire qu'il l'aime « avec toute la foi et tout le dévouement » dont il est capable. « Il est bien certain pour moi que si vous rencontriez dès aujourd'hui un cœur dévoué, tranquille et fidèle, exempt de ces maladies de l'âme qui font quelquefois les grands artistes et souvent les mauvais époux, un père, un frère, un ami, un mari enfin, vous seriez à jamais préservée des dangers et des malheurs de l'avenir... J'ose dire que je suis cet homme-là. Je n'ai rien de brillant pour vous éblouir, mais j'ai le cœur solide pour vous aimer. » Pendant qu'elle écrivait ces lignes, George pouvait sans doute entendre, dans la pièce voisine, le « bon », le « fidèle » Manceau dessiner « sa chenille merveilleuse Dydime », entreprendre « des projets de bâtisse » pour agrandir sa maison sur le ruisseau, préparer la miellée pour attraper les papillons... ou bien, d'une écriture appliquée, noter chaque jour sur l'agenda où se croisaient leurs deux écritures : « Madame se porte bien »... « Madame a la migraine »... « Madame va mieux. »

Manceau, depuis huit ans, partage la vie de George. Il a treize ans de moins qu'elle et faisait partie du petit groupe d'élèves qui fréquentaient l'atelier de Delacroix avec Maurice. Graveur, il s'était vu proposer de transposer le portrait de G. Sand peint par Couture : des traits empâtés, sans doute, si on les compare aux images de la jeunesse ; mais le jeu des bandeaux relevés sur la nuque souligne et encadre l'ovale du visage ; l'un des sourcils un peu relevé met en valeur une interrogation de curiosité dans le fameux regard noir sous les paupières lourdes. Le vêtement, à peine esquissé, est simplifié à l'extrême. Loin, les espagnolades dessinées par Musset, le raffinement des tenues du portrait attribué à Charpentier au temps de Chopin, la liberté de l'épaule dénudée, des cheveux dénoués pour la toile de Delacroix. Manceau applique son burin sur des traits graves. Le mystère, l'attente... De l'intelligence et de la bonté, un quant-à-soi farouchement conservé.

Fut-il amoureux de ce secret ? George, elle, déborda vite de tendresse pour cet homme jeune, grand, mince, robuste au moment où elle le connut. Elle mit dans la confidence de cette passion naissante son jeune ami, l'éditeur Hetzel. Il reste quelques lettres touchantes où l'auteur s'éblouissait de son propre étonnement. Manceau est un homme pauvre, souligne-t-elle au passage, issu du peuple comme ce Michel de Bourges dont elle vient encore de parler dans un courrier à l'acteur Bocage, comme Victor Borie, le secrétaire - amant des années 48. « Il est né dans la misère, il n'a reçu aucune éducation, ni morale, ni autre. Il n'a fait aucune étude, il a été en apprentissage. C'est un ouvrier qui fait son métier en ouvrier, parce qu'il veut et sait gagner sa vie. » En avril 1850, elle a donc écrit à Jules Hetzel avec de multiples précautions : « Je rabâche : brûlez. L'idée qu'une lettre intime subsiste, c'est comme celle d'une oreille qui écoute à la porte pendant que vous ouvrez votre cœur à un ami. »

Pourquoi le silence sur cette nouvelle liaison ? C'est Manceau qui l'exige. « Il a de l'amour-propre, il prend très au sérieux le secret orgueil d'être aimé de moi. » Mais que de talents chez ce modeste ! « Il est incroyablement artiste par l'esprit. Son intelligence est extraordinaire », mais, ajoute-t-elle avec naïveté, « ne sert qu'à lui, à moi par conséquent. » Ce fils de gens modestes, que George recommandera pour un poste de concierges au Palais du Luxembourg, manque d'orthographe, mais « il sait faire des vers ». George est pourtant lucide quant aux défauts de son amant : « Violent, il blesse affreusement ; calculé, il s'impose et cherche la domination. » Elle cherche à comprendre et à excuser l'apparent égoïsme du graveur : « Il veut s'éclairer, il veut se faire aimer, il veut s'ennoblir lui-même. Il n'a pas d'ambition et de renommée. Il s'aime (souligne-t-elle). Il veut se grandir devant Dieu et devant lui-même. » George retrouve en Manceau tous les caractères du « généreux », du *generosus*, l'homme de bonne race du XVIIIe siècle : celui qui s'estime à sa plus haute valeur.

Un trait explique tout : « C'est un coquet au moral, mais coquet devant le miroir de sa conscience et surtout de son amour. Car il aime, il aime, voyez-vous, comme je n'ai jamais vu aimer personne. » La confidence se fait sensuelle : elle décrit le tête-à-tête : « C'est à la fois un chat caressant et un chien fidèle... Très libertin dans le passé, il est chaste dans l'amour vrai, chaste et ardent autant que les sens, le cœur et l'esprit peuvent le rêver dans l'amour. » Tout devrait être cité de cet aveu d'une femme de quarante-six ans découvrant une passion neuve : « Je me laisse séduire avec une bonhomie sans égale. Je l'aide à me plaire. » Et puis, ajoute-t-elle comme avec humeur, « ses façons me vont »... Car Manceau ne fait pas partie de ces maladroits que sont « les soixante-neuf centièmes des hommes » ! Maladresse qui révèle, selon elle, « l'incapacité mentale et morale de la majorité des êtres »... Lui, au contraire, « est adroit de ses pattes et sûr de ses mouvements. Il ne casse rien ». Manceau est femme par la prévenance : « Il pense à tout ce qu'il faut et se met tout entier dans un verre d'eau qu'il m'apporte ou dans une cigarette qu'il m'allume... je ne l'ai jamais attendu une minute à un rendez-vous quelconque... Quand je suis malade, je suis guérie rien que de le voir me préparer mon oreiller et m'apporter mes pantoufles. » Et ce cri : « Enfin je l'aime, je l'aime de toute mon âme... et il y a un calme étonnant dans mon amour malgré mon âge et le sien... Je suis comme transformée, je me porte bien, je suis tranquille, je suis heureuse, je supporte tout, même son absence, c'est tout dire, moi qui n'ai jamais supporté cela... » Trois mois plus tard, fêtant son anniversaire, elle répétait au même confident : « Je suis heureuse, très heureuse... c'est si bon d'être aimé et de pouvoir aimer tout à fait, qu'on serait bête d'en prévoir la fin... J'ai quarante-six ans, j'ai des cheveux blancs, cela n'y fait rien. On aime les vieilles femmes plus que les jeunes, je le sais bien maintenant. Ce n'est pas la personne qui a à durer, c'est l'amour ; que Dieu fasse durer celui-ci, car il est bon. »

Dieu fit durer... Elle s'était défendue avec humour contre les ragots dont cette liaison fut l'objet. Au comédien Bocage – un ancien amant lui aussi –, elle écrivait alors : « Ne me prenez pas... pour une vieille bête qui a besoin d'acheter des amoureux. La vanité en attirerait encore plus auprès de moi que la cupidité parce que j'ai un nom qui reluit au soleil de la vanité humaine. » Puis les années coulèrent auprès de lui, douces. A Maurice, qui se plaint de la manière dont Manceau s'occupe, elle réplique vertement : « Qu'est-ce que cela te fait ? Tu ne peux le considérer comme un manœuvre à ta solde, puisque tes avances sont nulles ; mais moi, je peux le considérer comme un ami et serviteur volontaire qui me rend mille petits services très profitables, copies de manuscrits, de lettres, comptes tenus en ordre, surveillance de détails auxquels je ne peux me consacrer sans perdre un temps précieux pour mon travail. » Elle se reproche souvent d'encombrer l'existence de Manceau : « Le pauvre garçon n'a presque plus le temps de graver, tant je lui donne de besogne pour mes copies, mes répétitions, mes arrangements d'intérieur. Il est si bon, si dévoué, que j'en abuse et qu'il s'oublie lui-même pour m'aider à vivre. » A Nohant, en 1853, c'est lui qui s'occupe d'aménager l'atelier de Maurice : « Le pauvre garçon y met une ardeur, une passion de bien faire et de te faire plaisir, écrit-elle à son fils, qui méritera une bonne embrassade de ta part. Il en perd le boire et le manger, et le dormir, et la science du domino par-dessus le marché. Il en perdrait sa chemise, si elle ne tenait pas à son derrière. »

L'année suivante – elle a cinquante ans –, elle parle encore de lui à Hetzel avec autant de tendresse, admirant son intégrité, son courage à gagner sa vie ; il travaillait alors à la gravure d'un tableau d'Horace Vernet, *Chasse au mouflon*. « C'est un travail immense et on le talonne. Il pioche avec une conscience ! C'est un métier affreux. Il y a des accidents continuels et je le vois, par moments, dans des fureurs contre son acier, son eau-forte, son plâtre, sa plaque, que sais-je !... Il aspire à gagner ses mille francs et à se constituer cinq cents francs de rente qui suffisent à son ambition. Il dit qu'il gagnera sa vie en travaillant et que, s'il devient aveugle ou estropié, il pourra, avec sa rente, ne pas aller à l'hôpital. C'est bien l'être le plus excellent que j'aie jamais, je ne dis pas rencontré, mais même imaginé. »

On parierait que cet acharnement au travail de Manceau comptait beaucoup pour renforcer l'attachement de George. Le graveur eût pu, comme tant d'autres, jouer les aimables parasites. George fut, toute sa vie, entourée de protégés un peu nonchalants qui pensaient volontiers que la bourse de l'écrivain était bien remplie, que la maison de Nohant était hospitalière, qu'en s'adressant au sens de l'amitié ou aux convictions humanitaires de George on pouvait vivre à ses dépens. Or George n'avait pas de rente, elle devait éponger les dettes de sa fille et de son gendre, elle voyait son cher Maurice pousser en graine sans grande réussite dans la carrière artistique qu'il s'était choisie, bon enfant mais par trop flâneur. Ces années-là, avec acharnement, elle cherche à le marier, à l'obliger à une existence adulte. Elle « pioche », comme elle dit souvent. « Je travaille, écrit-elle, tantôt " comme un Basque ", " comme un Nègre ", " comme un cheval ", " comme six bœufs "... » On n'en finirait pas de noter les expressions qui décrivent cette existence sans repos où les

« traités » avec les éditeurs se succèdent, où elle suppute les chances - en termes financiers - d'une transcription de roman pour le théâtre, où elle se plaint de ne jamais pouvoir interrompre l'accouchement forcé d'œuvres toujours nouvelles.

Manceau, comme elle, est un homme de travail, un homme de métier. Et, quand il lui vient la fantaisie de s'intéresser - pour partager l'un des passe-temps préférés de Madame - à l'entomologie ou à la botanique, il manifeste la même rage d'apprendre qu'elle, la même précision scrupuleuse à nommer, à étiqueter, à collectionner, à classer. Des dévoreurs de tout.

Ces passions-là - travail, connaissance - sont des feux calmes qui ont réchauffé George aux jours les plus sombres. Il y a deux ans, un peu plus de deux ans...

Solange avait eu une fille, Jeanne Clésinger, en février 1848, au moment où George vivait, à Paris, ses premiers jours d'exaltation pour la révolution. Le bébé était mort quelques jours plus tard. Une autre petite Jeanne-Gabrielle Clésinger naquit le 10 mai 1849. Sa grand-mère obtint de la garder souvent. Mais les parents, de dispute en dispute, s'arrachaient la fillette. Clésinger la reprit, la confia à une pension. Mal soignée pendant une scarlatine, elle mourut dans la nuit du 13 au 14 janvier 1855.

Jeanne... « Nini », comme aimait à l'appeler sa grand-mère... La première petite-fille... Une petite-fille pas très « commode » lorsque - vers ses deux ans - George en fait vraiment connaissance. C'est l'époque où Solange vient à Nohant « comme une femme bel esprit en visite ». L'écrivain raréfie ces rencontres, le courant ne passe plus du tout entre mère et fille. Pourtant, petit à petit, les relations s'adoucissent. George accepte de loger Solange pendant un mois. Comme le fameux calorifère qui devait rendre Nohant douillet donne plus de fumée que de chaleur dans l'ancienne chambre de la jeune femme, sa mère l'installe dans celle de Maurice avec « un tapis pour que Nini n'enrhume pas ses petits pieds et son joli derrière ». A son ami Poncy (père d'une fille prénommée Solange), George écrit : « Ma Solange à moi m'est revenue, très aimable, pas tendre, mais enfin voulant et sachant être aimable. » Alors commence entre grand-mère et petite-fille une histoire d'enchantements réciproques. Solange en devient plus supportable malgré le grand grief : « Toujours la même princesse... ne faisant œuvre de ses dix doigts, si ce n'est s'attifer. Nous ne comprenons pas cela, nous autres, qui ne concevons la vie qu'avec le feu du travail au derrière », écrit George à Eugène Delacroix... Seulement, seulement, « sa fille est une petite merveille ». Ces années-là, les époux Clésinger se déchirent, séparations, retrouvailles, procès. Solange quitte Nohant précipitamment, laissant la petite-fille en garde à sa grand-mère. Plus tard, c'est George qui propose de reprendre l'enfant que le sculpteur voudrait enlever : « Si tu veux ravoir Nini, amène-là ici tout de suite. Elle y sera en sûreté. » Solange, toujours insatisfaite de sa situation matérielle, se lamente sur le sort que lui fait son mari, méprise avec hauteur les petites sommes que lui envoie sa mère, et finit par lui déclarer qu'elle saura bien trouver de l'argent elle-même en se livrant « comme les filles sans éducation au plaisir et au vice »... George réplique par une lettre interminable, violente et sermonneuse. Un seul mot tendre, une éclaircie, l'allusion à sa petite-fille : « Dans cette situation un enfant aimable, intelligent et beau comme Nini est un trésor dont on sent le prix et qui vous tient lieu de tout. »

George va se donner beaucoup de mal - l'année des trois ans de l'enfant - pour éviter son rapt par le père (et l'on pense à Aurore déchirée autrefois entre ses deux « mères ») : elle demande à Hetzel de lui indiquer quelqu'un qui pourrait héberger Jeanne en secret. Elle accueille mère et fille à Nohant pour de longs séjours. Solange est toujours, dit-elle, « d'une oisiveté fabuleuse et n'aime au monde que le cheval et la toilette ». Nini « est une merveille de grâce, de joliveté, de câlinerie, de babillage, mais elle a le diable au corps avec elle. Elle ne se soumet qu'à moi. Je l'adorerais volontiers, mais je m'en défends un peu, car le caprice de Solange défera toujours tout ». L'été 1852, elle en a pourtant la garde. Elle cherche alors auprès de ses amis Tourangin une nouvelle cache contre les « comédies d'enlèvement » du père. « Nini, dit-elle, est la plus jolie, la plus spirituelle, la plus câline créature qui existe. » Solange recevra des bulletins de santé très détaillés pendant une maladie de l'enfant, cet été-là. « Elle est mignonne comme un petit ange avec moi », insiste sa grand-mère, soucieuse de faire savoir qu'elle s'entend bien avec l'enfant, tandis que Manceau, plus objectif peut-être, note sur l'agenda que Nini est « mauvaise comme la gale » ! L'écrivain, au long de ces semaines, aura de multiples plaintes échappées à l'égard du surcroît de travail occasionné par la maladie de l'enfant qu'elle veille nuit et jour. Une de ses lettres se termine ainsi : « Il est 4 heures du matin, je suis toujours dans la bibliothèque, entendant le moindre mouvement de Nini. » Dans le même temps, George échafaude des projets rocambolesques pour faire échapper Jeanne à Clésinger : la faire accepter sous un faux nom dans un couvent, « gardée comme dans un château fort ». Un couvent, va s'étonner Solange, quand George manifeste tant de méfiance à l'égard des pratiques religieuses ? « Quand on rendrait Nini dévote dans son enfance, qu'importe ? écrit-elle alors, je l'ai été et je n'en vaux pas moins. »

Au sortir de ce difficile été 1852, George a complètement adopté la petite-fille : « Avec moi, mais avec moi seule, c'est un mouton, et si tu veux la gouverner sans avoir jamais maille à partir avec elle, il faudra faire tout ce que je te dirai, tout ce que le hasard m'a fait trouver ; car devant son caractère que je ne connaissais pas, je n'avais pas de parti pris. Je suis tombée sur le joint du premier coup... » Elle remarque qu'avec les domestiques la petite fille est « mauvaise », mais elle ajoute : « Notre vie est un tête-à-tête. » Elle répétera souvent l'affirmation de cette exclusivité : « Nini est toujours mauvaise avec tout le monde excepté avec moi » ... « Avec moi la Minette est ravissante... Ses nerfs se calment. Elle s'est remplumée. » Jeanne devient une interlocutrice que George initie au monde de la nature : « Elle fait des progrès étonnants de compréhension, et se livre à la description du jardin, des fleurs, du soleil qui met son manteau gris, et des étoiles qui ont des pattes d'or, des belles-de-nuit qui s'ouvrent le soir pendant que les mauves se ferment, des vers luisants, etc. » Aussi, l'automne suivant, grand-mère et petite-fille sont devenues inséparables. George écrit à Solange : « Elle est charmante, elle apprend à lire et à compter depuis trois jours. Elle apprend ses lettres très vite. Ne la reprends que si c'est absolument nécessaire. Elle est heureuse ici ! Elle te gênera beaucoup à Paris et ton mari ne te la laissera pas. » Lorsque George doit quitter Nohant quelques jours, elle préfère laisser l'enfant aux domestiques, à des amis, les Périgois, ou sous l'autorité d'Émile Aucante ; l'écrivain donne alors à celui-ci une liste de conseils sur les goûts alimentaires de Jeanne, ses habitudes, et ces recommandations qui fleurent bon l'inspiration rousseauiste, malice en plus : « Ne lui rien donner, ni ne lui rendre aucun service qu'elle ne le demande poliment, et ne remercie. Autrement, elle devient impérieuse et de là capricieuse, impossible à satisfaire. Si elle est méchante, il faut la prendre par le raisonnement, d'un air très grave, entre quatre yeux. Elle admire beaucoup les *discours* en quatre points, surtout quand elle ne les comprend pas. Si, par hasard, elle avait une grande fureur, il faudrait la laisser crier tout son saoul, sans avoir l'air d'entendre. Ce serait l'unique essai qu'elle ferait de ce moyen-là. »

A la Saint-Sylvestre, elle lui enseigne la lecture par

la méthode dont Boucoiran s'était servi pour Maurice et Solange, cette méthode Laffore sur laquelle elle écrira un long exposé au soir de sa vie. Et, avec satisfaction, elle ajoutera : « Elle saura lire dans six semaines. Elle est d'une intelligence extraordinaire. » Le père, Jean-Baptiste Clésinger, a couvert l'enfant de joujoux pour Noël. Elle le reprend vertement sur leur choix : « Tu as donc oublié, mon cher ami, qu'elle est une petite fille de trois ans et demi et qu'elle ne peut jouer à la toupie, au sabot ni au volant ? Tu comptes aussi qu'elle t'écrira, mais à moins qu'on ne lui tienne la main, elle ne peut écrire, et une lettre faite ainsi ne serait pas d'elle. Tu lui envoies des joujoux de garçon, ou de grande demoiselle, et tu lui demandes une lettre comme si elle faisait ses classes. C'est un pauvre petit enfant charmant, qui ne comprend encore rien, Dieu merci, à sa situation et qui, de longtemps, ne pourra se passer des soins maternels. » L'envoi n'est pas moins sévère : « Je t'embrasse quand même pour le nouvel an. Tu es le père de ma petite-fille et je ne peux pas ne pas m'intéresser à toi... »

Pendant ce temps, elle redit l'agacement qu'elle éprouve dès que Solange est présente : « Solange gratte ses ongles à midi, à deux elle les polit avec une poudre jaune ; à trois, elle fait une guirlande pour ses cheveux, à quatre elle se peigne, à cinq elle se coiffe, à six elle s'habille, et elle s'ennuie ! » Et lorsque la mère s'en va, la grand-mère lui rapporte – cruauté inconsciente ou non – que la petite fille ne s'en soucie guère : « Tu ne penses pas qu'avec son âge et avec son petit fond de sans souci, elle ait souffert de ton départ. Elle n'y a même pas pensé. Elle est un peu trop la reine des Ninis. Elle est si heureuse, elle s'amuse tant et tant, le monde est si porté à la gâter, qu'elle ne sait pas ce que c'est que de désirer quelque chose ou de regretter quelqu'un. »

La grand-mère fond de tendresse : « Elle m'envoie paître. Elle jette son bonnet par-dessus les moulins. Tout cela pourtant sans méchanceté ni colère, et d'un air voyou contre lequel il est difficile de garder sa dignité », et elle proclame sa maternité exclusive : « Je ne suis plus bonne-maman, mais maman tout court, et on me tutoie dans les accès de tendresse », ajoute-t-elle sans ménagement à Solange.

Pourtant, en juillet 1853, les époux Clésinger se réconcilient, arrivent en coup de vent à Nohant... et emmènent Nini ! « Sans m'en avertir un jour à l'avance », note George, amère. Au lendemain de cette séparation, elle écrit à Solange : « Je travaille à me déshabituer de ma Minette. Il m'en coûte beaucoup. » Elle plaide une existence plus stable pour la petite fille. « Sois donc un peu sédentaire, à présent. » Et elle confiera, quelques semaines plus tard, à un ami : « Ma pauvre Nini est bien pâle et bien grognon là-bas. Ce n'est plus la Nini de Nohant, mais que faire ? » Elle gardera pourtant à nouveau la fillette au jour de l'an suivant, donnant à Solange des conseils sur le choix des jouets à offrir. « Je suis sûre qu'elle préfère à tout la poupée, la poupée avec des robes de rechange. Car c'est à habiller et à déshabiller qu'elle passe tout le temps où elle est tranquille. Moi, je lui ai acheté pour les étrennes une jolie guimpe avec des manches, car la toilette est aussi son grand bonheur. » Décidément, Nini est à Nohant pour un moment ; George demande qu'on lui apporte « la garde-robe d'été de mademoiselle », mais pas trop de jouets, « c'est le moyen qu'elle ne s'amuse de rien ».

Un nouveau drame se prépare. Clésinger a saisi chez sa femme des lettres très compromettantes. Se sentant sûr de son bon droit, il vient rechercher l'enfant à Nohant. « Il est accompagné d'un homme décoré », note mystérieusement Manceau dans l'agenda. Affolée, George s'informe auprès de Mme Bascans chez qui Solange avait été élevée autrefois : son gendre a-t-il amené la fillette à la pension comme il l'avait promis ? Elle ne sait où trouver sa trace. Ce printemps-là, George ne se sent pas revivre comme chaque année à la belle saison. « Les entrailles ne raisonnent pas aussi bien que le cœur, écrit-elle, et tout ce que je renfonce de tristesse, mon corps le paye en bobos et en souffrances. » Aucante recevra des lettres codées pour tenter de régler la situation à venir de la petite fille. « C'est un chaos et un labyrinthe d'extravagances douloureuses que cette situation », écrit George.

Qu'importe les péripéties... on connaît le dénouement. En janvier 55, Nini contracte une scarlatine. Elle paraît avoir été mal soignée dans une pension sordide. Surtout, son père la fait sortir sans précaution. Nini meurt... George n'est plus que colère et larmes. Le petit corps a été ramené dans le cimetière familial de Nohant auprès de la grand-mère et du père de George. L'écrivain s'endort en pleurant et rêve qu'elle parle à sa petite-fille. « Il me semble qu'elle m'a répondu », note-t-elle dans l'agenda. Elle relit *Terre et Ciel,* de Reynaud, où elle puise l'espoir mystique de retrouver en une autre vie la petite disparue. « Je sais bien que ma Jeanne n'est pas morte, je sais bien qu'elle est mieux que dans ce triste monde », écrit-elle à Édouard Charton.

Dans cette douleur qui devait tant la marquer, les deux natures de George trouvent à s'exprimer. Terrienne, charnelle, elle est inconsolable : « Je vais tous les jours pleurer dans le chalet toute seule. Je ne peux pas prendre le dessus, je suis trop vieille pour me consoler. » Rêveuse, idéaliste, elle imagine un monde fantastique où morts et vivants pourraient se rencontrer. Sous sa plume naît un conte qu'elle ne terminera pas. Récit aux marges du fantastique. « Le fantastique, a écrit George, n'est ni en dessus, ni en dessous, il est au fond de nous. »

Quand on visite la salle à manger de Nohant, on peut observer quelques-uns des tableaux de Maurice. L'un d'eux s'intitule *Les Lupins...* On y voit, appuyée contre un mur, une rangée de loups dressés sur leurs pattes de derrière, mi-bêtes mi-hommes, des lycanthropes, disent les érudits. Le museau levé vers la lune, ils semblent appeler désespérément un salut d'en haut. George, comme Maurice, s'intéressait aux légendes de sa province. Non pour l'originalité des mœurs berrichonnes, mais pour l'universalité des types fantastiques. Elle cherche « au fond de nous » le sens de ces permanences.

La vie des morts, l'immortalité pour certaines religions, la métempsycose pour d'autres philosophies font partie de ce lot de croyances qui peuplent notre monde imaginaire. Quand le réel devient insupportable, l'irréel resurgit. Mais dans l'irréel lui-même revivent des traits humains... C'est la nature qui suggère et entretient les visions fantastiques ; la grande nature, le cosmos, la nature humaine et ses ressorts cachés. George Sand s'était intéressée à ces univers dans *Consuelo,* dans *Les Sept Cordes de la lyre. Terre et Ciel,* de Reynaud, prêtait une forme intellectualisée au fonds ancien de croyance religieuse.

Le texte de 1855 écrit après la mort de Jeanne est un cri de douleur. Pour les observateurs trop lointains que nous sommes, c'est aussi un exemple précieux de la démarche de George, d'idéalisme et de réalisme mêlés. La fuite dans le rêve est expliquée : « J'avais pleuré tant de jours et de nuits que je me sentis anéantie. » Les bruits réels et irréels se confondent : « La neige amoncelée sur les toits tombait en avalanches bruyantes comme le galop de plusieurs chevaux impétueux s'élançant par saccades... » De la lueur faible de sa chambre, elle se sent passer aux ténèbres. « Je me demandai sans aucune émotion si j'étais morte. » C'est la vision. « Une voix douce et faible qui disait à mon oreille ce seul mot : “ Viens. ” » Jeanne est là, sous la forme d'une belle jeune fille. Sa grand-mère tente de se faire reconnaître. « C'est elle que je cherche, c'est elle qui me cherche peut-être, c'est elle qui m'a dit : “ Viens. ” » L'adolescente a oublié son nom antérieur, elle dit s'appeler « Nata », elle a tout oublié... Une seule évocation va faire revivre le passé : George et elle observent, en même temps, « la mousse qui tapissait les flancs du rocher ». La jeune fille, de l'autre côté de la vie, reconnaît alors : « Je regarde ces plantes, et mon imagination les anime de je ne sais quelle vie. » La grand-mère prononce les mots clés du souvenir : « Mère, allons voir la fête des mousses... » Et Nata redevient Jeanne : « Quand la pluie douce du printemps venait de tomber, quand les mousses... ornaient le jardin d'enfance qu'une femme, une mère, avait construit pour moi... alors je riais et je sautais gaiement, car je connaissais l'aspect du moindre caillou de ce petit monde et je vous disais le mot qui vous faisait sourire... »

Le mot de passe entre vie et mort : « Mère, allons voir la fête des mousses »... le mot de passe est Nature et Tendresse. Tout George Sand est là. Capacité à déjouer l'impossible, non par quelque talent magique, non par quelque savoir génial, mais par la force de la vie et de l'amour. Une femme tellement aimante, tellement puissante, qu'elle réussirait à franchir tous les obstacles, de la terre au ciel.

Disparue la petite-fille trop chérie, George se gavera de nouvelles connaissances, de nouveaux paysages, de nouveaux livres à écrire. Un voyage en Italie, puisque, en cette époque romantique, on voyage pour oublier. Et peut-être aussi pour retrouver la chaleur dont elle ne jouit jamais assez malgré le calorifère installé, les robes ouatinées qu'elle se fait confectionner. « Une promenade par ordre du médecin ». Tout paraît l'agresser alors : la peur du vent et le souvenir de Jeanne. « Je crains ce mistral, écrit-elle à Marseille.

Je suis toujours très patraque... Je ne peux pas me persuader que cet enfant est mort. »

Dans l'épreuve, Manceau est présent. Il dessine à la veillée, avec George, le visage de la petite disparue dont ils refusent de voir le masque mortuaire. Il avance l'argent du voyage. Il accompagne George et Maurice. A Marseille, avant de prendre le bateau, elle cueille des fleurs sauvages dans la garrigue, des plantes aromatiques. A Rome, elle est déçue au-delà de toute mesure. Elle s'exclame, peut-être encore sous le choc de l'enterrement de sa petite-fille : « C'est curieux, c'est beau, c'est intéressant, c'est étonnant, mais c'est trop mort... Quand on a passé plusieurs journées à regarder des ruines, des tombeaux, des cryptes, des columbariums, on voudrait bien sortir un peu de là et voir la nature... La ville est immonde de laideur et de saleté ; c'est La Châtre centuplée en grandeur. » Rien n'arrêtait George dans ses détestations comme dans ses enthousiasmes. A Frascati, dans les Apennins, elle goûtera pourtant les délices de l'Italie. Bref, elle tombera d'accord « qu'il est bon de l'avoir vue [l'Italie] ne fût-ce que pour aimer davantage cette douce France au ciel gris, où les hommes, si peu hommes qu'ils soient, sont encore plus hommes que partout ailleurs ».

Le retour sera peuplé de projets de travail : « Cette fois-ci je me suis en allée devant moi un peu à l'aventure pour fuir, plutôt que pour avancer et le cœur un peu mort à toutes choses. Je suis plus forte aujourd'hui [...]. Il a poussé des sapins et des chênes verts dans mon cerveau et j'ai deux mois pour faire la besogne de deux ans peut-être ! » La besogne sera abattue : paraissent *La Daniella*, inspiré par la visite romaine, *Les Beaux Messieurs de Bois-Doré*, pour lequel elle accumule une importante documentation sur les châteaux du Berry, *L'Homme de neige*, enfin, qu'elle termine dans le calme de Gargilesse.

L'avidité de connaître de George, passé la cinquantaine, semble ne plus avoir de bornes. A son ami Aucante qu'elle bombarde presque chaque jour de missions nouvelles à Paris – placer le livre illustré de Maurice, constituer une sorte de syndicat des auteurs, traiter avec ses éditeurs, relire des épreuves, veiller à l'état de la presse –, elle déclare sans rire : « J'arrive à la vieillesse avec une soif d'apprendre, car j'ai vécu sans rien savoir et sans avoir le temps de rien. » Il lui faut donc des ouvrages de documentation lisibles et complets. Pour *Les Beaux Messieurs de Bois-Doré*, elle demande « un manuel tout simple avec gravures, qui puisse remettre en l'esprit, au besoin, les diverses combinaisons de leur ordre historique, et non seulement quant aux églises, dont je suis un peu rebattue, mais quant (et surtout) aux édifices civils, maisons particulières, etc. », et, quelques jours plus tard, satisfaite, elle constate : « Je suis déjà versée depuis ce matin dans les nids d'aronde, les choux-frisés, les pinacles, les moucharabiés, les corbeaux, etc. C'est si amusant d'apprendre quelque chose de pas trop difficile. »

Pour *L'Homme de neige*, dont l'action se déroule en Suède, George entreprendra des recherches sur les pays nordiques. Elle donnera libre cours aussi, dans ce roman, au récit d'une expérience qui la fascinait de plus en plus : le spectacle de marionnettes. Dix ans plus tôt, le théâtre improvisé était devenu l'un des loisirs de Nohant. Faute d'acteurs, Maurice, nous l'avons vu, avait imaginé de se servir de deux morceaux de bois, grossièrement taillés, vite devenus des personnages. Sept acteurs furent alors « taillés dans une souche de tilleul » : « Guignol, Pierrot, Purpurin, Combrillo, Isabelle, della Spada, capitan, Arbait, gendarme, et un monstre vert ». George, au cours des soirées, taillait et cousait pour ces figurines pendant que Manceau ou Maurice faisait la lecture : « Je réclame la confection du monstre dont la vaste gueule destinée à engloutir Pierrot fut formée d'une paire de pantoufles doubles de rouge et le corps d'une manche de satin bleuâtre... », s'amusait l'écrivain. D'année en année, le répertoire s'enrichit et les rôles se multiplièrent. A côté des inévitables figures de la *commedia dell'arte,* des reproductions réalistes ou caricaturales de paysans, de curés, de servantes et de bourgeois furent imaginées.

A Gargilesse, pourtant, pas de théâtre, pas de marionnettes, pas de visiteur bavard. Manceau le silencieux classe ses chenilles. La servante venue visiter sa maîtresse en touriste est partie pêcher sur la Creuse. Devant George, bien empilées, les pages d'*Elle et Lui* qu'elle vient de relire. Demain, ce sera le retour à Nohant par la route du Pin, la voiture à cheval qu'on suivra à pied dans la côte pour épargner les montures. L'écrivain laisse son regard se perdre dans la masse sombre du bois, derrière la fenêtre. Elle relit sa dernière phrase : « Les femmes de l'avenir, celles qui contempleront ton œuvre de siècle en siècle, voilà tes sœurs et tes amantes. » Un livre de plus. Le travail. Cela seul compte. Elle se lève, s'étire un peu, se baisse pour ouvrir la petite porte et appeler l'ami fidèle : « C'est fini... si tu veux un domino ou un bésigue ? »

7

Vendredi 4 octobre 1867

Ce n'est pourtant pas un voyageur consolé qui t'écrit. Il n'a pas su prendre, avec l'âge, le goût des choses qui rassasient l'ambition et rendent l'imagination engourdie et sage.

« Malgré tout et malgré tous,
George Sand est devenue populaire. »
Par Nadar, coll. T. Cl. Françoise Foliot.

VENDREDI 4 octobre 1867. George Sand passe la journée à Palaiseau*, dans le pavillon vide.

Manceau est mort, Delacroix est mort, Rollinat est mort, le petit Marc, le premier enfant de Maurice, est mort. George vit. Elle est déchirée. Elle est l'inépuisable. Si calme maintenant, si désespérée et si joyeuse. La maladie - une typhoïde - a tenté de la prendre ; les Tamaris l'ont vue renaître. Et elle a rencontré Flaubert.

Vendredi 4 octobre 1867. Elle est revenue dans la maison. Elle a demandé qu'on remplisse le bassin, et le jet d'eau glougloute. Elle a fait ouvrir les quatre fenêtres du premier étage, sur le jardin, allumer un feu dans la cheminée du salon. Manceau a légué son bien à Maurice. Sans rancune, le bon Manceau, qui avait dû quitter Nohant pour ne pas faire ombrage au fils de George. C'est le graveur qui avait déniché cette

* Palaiseau, au sud de Paris, n'était alors qu'un village.

propriété, qui avait déplacé les arbres pour que l'eau circule jusqu'à la vasque, surveillé l'installation du chauffage, composé une rocaille. Manceau a passé ses derniers mois, épuisé de toux et de fièvre. George vient de moins en moins. Mais elle ne louera pas. Elle vendra si elle en trouve un bon prix, ou elle y fera, de temps en temps, pèlerinage.

Nohant-Paris, Paris-Nohant, les aller et retour ont repris. « Je ne m'arrête nulle part et je travaille partout. Depuis que la cruelle destinée m'a rendue indépendante, je profite au moins de la seule compensation qu'elle m'offre, la liberté de courir et d'aller devant moi... Tant que la santé ira, je continuerai à fuir. » Les années de Gargilesse sont loin. Loin aussi le temps où des saisons entières la fixaient à Nohant. Avec Manceau, elle avait peu voyagé : en Auvergne en 1859, après l'attaque de typhus qui faillit lui coûter la vie ; en 1860, un séjour de repos sur la côte varoise. Un début de brouille familiale avait provoqué le départ en région parisienne. La mort de Manceau l'avait laissée libre d'attaches. Palaiseau était trop froid l'hiver, et comment y vivre seule, après les quinze mois passés là avec le graveur ? George nomadise. Dans ses appartements de la capitale, rue Racine d'abord, puis rue des Feuillantines, une sorte de pied-à-terre d'étudiante, « un wagon divisé en trois pièces », a-t-elle écrit à Maurice quand elle y a emménagé. En Bretagne, où elle cherche des paysages pour son roman *Cadio*. Le mois dernier, elle s'est offert deux escapades sur les plages normandes. A Dieppe, à Fécamp, à Étretat, à Saint-Valéry-en-Caux. Comme si les environs de Rouen, comme si Croisset la fascinaient de plus en plus. A Croisset, l'an dernier, elle a passé trois jours. Dans la maison de Flaubert.

Vendredi 4 octobre 1867. George parcourt les pièces désolées. Elle regroupe des objets oubliés, organise des documents en piles, se réjouit de découvrir, au fond d'un tiroir, les minuscules cahiers de ses chers papiers à cigarette, du « Job », « épais », « jaune », « sentant le moins possible le poivre et la chandelle », du « Moka Abadie »... Elle s'est assise auprès du lit dont elle relève machinalement un oreiller... Manceau... Le calme Manceau retiré dans ses problèmes domestiques, se consumant dans sa phtisie pendant que montait la gloire de George.

Car l'écrivain sexagénaire est un « maître ». De beaux esprits raillent une fécondité qui ne se départit pas et lui fait composer, année après année, romans et pièces de théâtre. Les bien-pensants qui n'ont cessé de lui reprocher le scandale de sa vie libre attaquent aujourd'hui son anticléricalisme. En politique, elle ne s'est pas fait beaucoup d'amis ; jugée trop tiède, elle a encouragé les exilés à demander leur grâce. Mais, républicaine dans l'âme, elle n'a jamais fait allégeance au second Empire, même quand elle réclamait les faveurs du prince pour ses amis.

Malgré tout et malgré tous, George Sand est devenue « populaire ». Elle l'était déjà en Berry. Lorsque Manceau s'est vu reprocher par Maurice sa présence à Nohant, elle a décidé qu'elle partirait avec le graveur.

Des commerçants, des ouvriers, des artisans de La Châtre ont envoyé alors une lettre d'adieu à leur « chère et illustre compatriote » : « Aux étrangers vous avez fait connaître et aimer notre cher pays... personne n'a su ainsi que vous, madame, honorer le travail et la dignité du pauvre aux champs et à la ville... nous vous devons la patience et l'espoir. » George a répondu avec un sourire à ces marques de sympathie : « Elles me payent largement des petites persécutions qui m'ont été suscitées en d'autres temps. » Dans la capitale elle-même, George soulève l'enthousiasme. La première du *Marquis de Villemer*, en 1864, au théâtre de l'Odéon, a suscité de véritables manifestations en sa faveur. George venait de publier, contre les idées d'Octave Feuillet et contre le parti clérical, un roman, *Mademoiselle La Quintinie*. L'Odéon ne put distribuer assez de places aux étudiants qui voulaient fêter l'écrivain. Ils s'en prirent aux institutions catholiques voisines du théâtre, puis firent un triomphe à George au sortir de la représentation. Ces années-là, son agenda, ses lettres fourmillent d'anecdotes, où elle note son étonnement d'être reconnue par des passants, par de simples gens de Paris. De jeunes écrivains s'attachent à elle. Alexandre Dumas fils, Théophile Gautier. « Cher maître »... ou « chère maître », lui écrit Flaubert.

Vendredi 4 octobre 1867... Rollinat a disparu aussi. C'était le 13 août. Elle se trouvait à Nohant. George ne le savait pas malade. « Coup de massue », note-t-elle sur son agenda. François Rollinat, parmi la foule des amis, parmi la cohorte des amoureux, a été une perle rare. Qu'il ait aimé Aurore-George ne laisse aucun doute. Des années durant – leur rencontre datait de 1831 –, il attendra une réponse. Ils ont partagé des confidences, dans les nuits du Berry, sous le ciel étoilé. Aurore, à cette époque, vivait les tribulations d'aventures bouleversantes. Elle avait besoin de parler, d'être écoutée avec indulgence. Rollinat tint ce rôle. Pas de place, alors, dans le cœur de la jeune femme : Sandeau, Musset, Pagello, Michel de Bourges allaient l'occuper tour à tour. Rollinat était sans doute trop fraternel, trop amical, trop semblable, pour prendre rang parmi les follement aimés. Lien spirituel trop précieux pour qu'il se perdît dans les orages de la passion. Il ne put s'empêcher de lui dire, de lui écrire l'amour exclusif qu'il lui portait.

Mai 1834. « Êtes-vous morte ou vivante ? depuis six mois, vous ne m'avez pas donné signe de vie. Je n'ai pourtant pas cessé de penser à vous. Vous êtes toujours [...] mon idole, mon seul espoir dans ce monde et dans l'autre. »

Octobre 1834. « Je n'entrevois de bonheur possible pour moi dans ce monde que dans une existence qui me rapprocherait de toi, qui nous permettrait presque de suivre ensemble nos joies et nos douleurs... Tu ne te trompes pas en comptant sur moi à la vie à la mort. Tu sais que je suis à toi, à toi seule, je suis ta propriété, ta chose, tu peux disposer de moi comme tu voudras. » Il ajoute, avec la naïveté des mal aimés qui pensent pouvoir aider l'être qui aime ailleurs : « Que ne ferai-je pas pour te rendre la vie moins amère ? » George est alors une écorchée vive, entre Pagello et Musset. Sage, trop sage Rollinat.

Février 1835, Sand a renoué avec Musset. Elle vit à Paris. « Il me semble que nous soyons tous privés d'une partie de nous-mêmes depuis que nous ne te voyons plus et pour mon compte je ne saurais vivre où tu n'es pas. »

Elle rompt avec Musset en mars. Le procès en séparation d'avec Casimir Dudevant est engagé. Elle demande à Rollinat - avocat - de prendre sa défense. Las ! c'est la rencontre foudroyante avec Michel de Bourges... Le nouvel amant remplacera François à la barre. Timidement, l'année suivante, il tend une dernière perche : doit-il ou non accepter de se marier, comme sa famille l'y invite ? George conseille d'attendre. Rollinat obéit. Elle le félicitera. Pourtant, quand, en 1842, il annoncera ses épousailles avec une jeune femme effacée, Isaure Didion, ils continueront de se voir et de correspondre de loin en loin, échangeant leurs idées politiques. « L'ami parfait, l'homme sans tache, l'âme sans ombre », écrit-elle dans son agenda au lendemain de sa mort.

Quand ils se sont connus, au lendemain des événements de 1830, ils partageaient tous deux les mêmes convictions républicaines. Rollinat sera représentant du peuple en 1848, puis élu à la Législative en 1849. George lui avait dédié *Un hiver à Majorque*, une partie de la quatrième et la cinquième *Lettre d'un voyageur*. Homme de devoir, de conscience professionnelle, il incarnait, dans sa droiture, l'existence équilibrée et dévouée à une cause... George fut sa folie secrète. Le 14 août 1867, elle pleure l'ami et le sage à la fois : « J'ai sa figure devant les yeux, sa voix dans les oreilles. Il me semble qu'il va nous surprendre un de ces jours avec ses dossiers sous le bras. » Le dernier lien qu'elle souhaite avec lui est de parole : « Nous causerons, encore et toujours ensemble, tu m'entendras. » Pauvre Rollinat, malheureux de retenue sage. Heureuse George d'avoir été aimée de telle sorte. Hasard des moments de rencontre... Manceau aurait, lui, le bonheur de se trouver là dans une ère apaisée. Après la typhoïde, où George perdit conscience pendant près d'une semaine, c'est à Rollinat qu'elle entreprend d'expliquer les phénomènes du délire, des cauchemars, du rêve en général, tentant sans doute de renouer avec lui le fil des conversations anciennes sur ces idées, ces fantasmes, ces sentiments qui sont nous et ne sont pas nous, qui naissent de nos profondeurs et nous conduisent. Au fil de la plume, c'est à lui qu'elle confie, reconnaissante des soins dont elle a été entourée : « J'ai eu la chance d'être beaucoup aimée. » Avec des phrases et des phrases pour dire son nouvel état d'esprit : « Ce n'est pourtant pas un voyageur consolé qui t'écrit. Il n'a pas su prendre, avec l'âge, le goût des choses qui rassasient l'ambition et rendent l'imagination engourdie et sage. » Rollinat n'est plus. Va-t-elle noter encore, comme après la mort de Manceau : « Maintenant, vraiment seule » ?

Elle écrit... elle écrit... Cette littérature qu'elle dit « savetée », et dont elle s'excuse auprès de l'écrivain si difficile devenu l'autre confident. « J'ai fini *Cadio* » ... « Je fais une autre machine »... La machine sera *Mademoiselle Merquem.* Surtout, elle envoie, à n'en plus finir, des lettres aux grands amis. A Armand Barbès : « Plus on avance dans ce voyage, plus on a besoin de s'appuyer sur les mêmes compagnons de route... La notion du progrès qui nous a faits plus forts de raisonnements que nos pères, nous a-t-elle faits plus patients ?... Nous avons besoin d'être heureux. »

Elle correspond surtout avec Gustave Flaubert. Elle lui apprend le décès de Rollinat et ajoute : « Si tu étais là, tu me donnerais du courage. » Flaubert répond, comme en écho à la lettre à Barbès : « A mesure que nos affections diminuent il faudra se resserrer contre celles qui subsistent. » Elle l'attend à Nohant, il l'attend à Croisset.

Flaubert avait dix-sept ans de moins que George. Au moment où débute leur correspondance, il a déjà fait paraître *Madame Bovary* et *Salammbô*. C'est à l'occasion de la parution de ce second livre – envoyé par l'auteur à « Madame Sand, hommage d'un inconnu » – que George écrit pour la première fois à Flaubert. Elle a publié, dans *La Presse*, un article élogieux pour défendre le roman attaqué par la critique. L'agenda de Manceau portait en note : « Flobert *(sic)* envoie à Madame son roman carthaginois » et, un mois plus tard, « Madame est contente de ce livre ». G. Sand est un bon confrère. Tout au long de sa vie, elle a été douée de la capacité d'admirer. La vieillesse venant, elle y ajoute la prévenance de faire savoir qu'elle admire. Sa notoriété est telle que ses jugements ont quelque poids. De *Salammbô*, elle avait aimé la richesse de l'information et des descriptions. Surtout quand la censure des dévots et la critique se liguent contre les livres – contre les livraisons tronquées de *Madame*

Bovary en particulier –, G. Sand se fait un devoir de voler au secours du persécuté : « J'aurais regardé le silence comme une lâcheté, ou comme une paresse, ce qui se ressemble beaucoup. Il m'est indifférent d'avoir à ajouter vos adversaires aux miens – un peu plus, un peu moins. » La lettre est une invitation à Nohant : « J'y suis toujours, mais je suis âgée, n'attendez pas que je sois en enfance. » Vient alors un détail curieux. Elle a reçu « une plante sèche intéressante dans une enveloppe anonyme ». Elle interroge : « C'est votre écriture à ce qu'il me semble aujourd'hui. Mais c'est invraisemblable, d'où sauriez-vous que je m'occupe assez minutieusement de botanique ? » Il répond, s'étonnant lui aussi : « Ce n'est point moi qui [...] vous ai envoyé une petite fleur dans une enveloppe. Mais ce qu'il y a d'étrange, c'est qu'à la même époque j'ai reçu de la même façon une feuille d'arbre. »

En 1864, Flaubert avait assisté – comme tant d'autres – à la première du *Marquis de Villemer* dont nous avons dit quel triomphe elle fut pour George. Ils sont côte à côte dans la loge du prince Jérôme Napoléon*, ami des deux écrivains. Flaubert pleure « comme une femme », raconte George. Et elle le remercie : « Vous avez été si bon et si sympathique pour moi à la première représentation de *Villemer*, que je n'admire plus seulement votre admirable talent, je vous aime de tout mon cœur. » Nous n'avons pas

* Le prince Napoléon, dit Jérôme, était le fils de Jérôme, frère de Napoléon Bonaparte. Il manifesta toujours des idées avancées et servit souvent d'intermédiaire entre les républicains comme G. Sand et le pouvoir du second Empire.

d'autres lettres de cette période. C'est en 1866 que commence une amitié par correspondance si éloquente, si riche, que chaque morceau est un régal. Pour qui voudrait savoir ce qu'est une amitié amoureuse, une amitié de plume, un amour impossible entre une femme de plus de soixante ans et un homme de quarante, ou pour qui, tout simplement, aime les écrivains et la littérature, il faut lire ces lettres.

George a noté dans l'agenda, le 12 février 1866, ses impressions à la fin d'un « dîner Magny ». Sainte-Beuve avait imaginé de réunir, chez le restaurateur, chaque mois, des personnalités littéraires et scientifiques. George venait pour la première fois. Elle consigne les noms des présents, précise ses impressions : « Dîner chez Magny avec mes petits camarades. Ils m'ont accueillie on ne peut mieux. Ils ont été très brillants, sauf le grand savant Berthelot ; Gautier, toujours éblouissant et paradoxal ; Saint-Victor charmant et distingué... » Elle arrive à Flaubert : « Passionné, [il] est plus sympathique à moi que les autres. Pourquoi ? Je ne sais pas encore. » Au passage, elle avait épinglé les Goncourt : « Trop d'aplomb, surtout le jeune qui a beaucoup d'esprit, mais qui tient trop tête à ses grands-oncles. Le plus fort en paroles, avec autant d'esprit que qui que ce soit, est encore l'oncle Beuve comme on l'appelle. » Les Goncourt, dans leur *Journal*, remarquent aussi la complicité Sand-Flaubert. De George, ils notent surtout des détails physiques : « Elle est là, à côté de moi, avec sa belle et charmante tête, dans laquelle, avec l'âge, s'accuse de plus en plus le type de la mulâtresse. Elle regarde le monde d'un air intimidé, glissant à l'oreille de Flaubert : " Il n'y a que vous ici qui ne me gêniez pas. " Elle écoute, ne parle pas, a une larme pour une pièce de vers d'Hugo, à l'endroit de sentimentalité fausse de la pièce. Elle a de petites mains d'une délicatesse merveilleuse, presque dissimulées dans des manchettes de dentelle. »

« Il est plus sympathique à moi que les autres. Pourquoi ? Je ne sais pas encore. » Au mois de mai suivant, elle dîne chez Sainte-Beuve avec Flaubert et Taine. « On cause jusqu'à minuit avec plaisir et profit », note-t-elle. Le 15 mai, elle termine la rédaction du *Dernier Amour*, dans la maison vide de Palaiseau. Un mot à Flaubert : « J'ai fini mon roman ; et vous ? » Échanges de travail. George propose une sorte d'entraide ; elle a envoyé le dernier livre paru, *Monsieur Sylvestre :* « Apportez l'exemplaire. Mettez-y toutes les critiques qui viennent. Ça me sera très bon, on devrait faire cela les uns pour les autres, comme nous faisions Balzac et moi. Ça ne fait pas qu'on se change l'un l'autre, au contraire, car en général on s'obstine davantage dans son moi. Mais en s'obstinant dans son moi, on le complète, on l'explique mieux, on le développe tout à fait, et c'est pour cela que l'amitié est bonne, même en littérature. »

Flaubert ne répond pas d'emblée à l'immense bonne volonté de George. Il résiste à l'envahisseur. Un envahisseur lui-même si intimidé et si sauvage qu'il s'ensuit, entre les deux, un jeu compliqué de « je donne - je retiens ». L'année 1866 est pleine de rendez-vous manqués. C'est George qui s'invitera à Croisset, après, il est vrai, de multiples rappels de Flaubert. Et Croisset fera fondre les réticences.

La grande maison est accoudée au coteau sur le bord de la Seine. Elle a été acquise par les parents de Flaubert alors que celui-ci, en 1844, marqué par une première attaque nerveuse, venait d'abandonner ses études de droit. Depuis la mort de son père et de sa sœur Caroline, en 1846, l'écrivain a vécu là avec sa mère et sa nièce orpheline. Séjour interrompu pour des voyages à but curatif dans les « pays chauds » : l'Égypte, la Palestine, la Syrie, Rhodes, Constantinople, Athènes, l'Italie où sa mère le rejoindra. Depuis 1851, Gustave Flaubert s'est confiné dans la demeure entre les deux Caroline, attentif à la vieille dame, s'occupant de l'éducation de la petite fille, enfermé la plupart du temps dans le cabinet de travail aux meubles Louis XIII torsadés, le « gueuloir » où il crie ses phrases pour en vérifier la juste tombée. Chacun de ses livres lui coûte quatre ou cinq ans de travail. En 1864, cinq mois pour quarante à cinquante pages de *L'Éducation sentimentale*... quarante ou cinquante pages... une ou deux nuits de George Sand.

Pour l'invitation à Croisset, l'auteur de *Salammbô* a pensé à tout. On a bouleversé l'ordre des chambres et invité la nièce Caroline qui serait fâchée de ne pas voir la grande Mme Sand. Dans son agenda, George apprécie la qualité de l'accueil : « La mère de Flaubert est une vieille charmante. L'endroit est silencieux, la maison est confortable et jolie et bien arrangée. Et un bon service, de la propreté, de l'eau, des provisions, tout ce qu'on peut souhaiter. Je suis comme un coq en pâte. » ... « On dîne très bien »... « Excellent lit, on dort bien », note encore notre sexagénaire. Mais les nuits sont courtes, car les deux écrivains les passent à parler. Jusqu'à deux heures du matin le mardi 28 août. Jusqu'à deux heures encore le lendemain. Avec ce cri du cœur qui clôt les pages de l'agenda pour ce séjour : « Flaubert m'emballe. »

Le romancier, lui, est simplement content. Il écrit à la princesse Mathilde : « [George Sand] a été comme toujours très simple et nullement bas-bleu. » La lettre de remerciement de George est un modèle de déclaration d'amitié tendre. Les premiers mots, dignes, sont pour la mère et la nièce de Flaubert. Puis la voilà qui mélange gaiement le tu et le vous : « Et puis, toi, tu es un brave garçon, tout grand homme que tu es, et je t'aime de tout mon cœur. » Faut-il interpréter ? Doit-on dire, madame Sand, que vous étiez « retombée » amoureuse ? Avec le sentiment aigu qu'une vieille femme comme vous (vous aviez commencé de vous traiter de « vieille » à trente ans !) n'avait plus le droit d'aimer. Qu'elle se sentait, bien sûr, un cœur de vingt ans, mais ne devait pas sombrer dans le ridicule d'y croire.

Flaubert, peu à peu, cède au charme. Il répond en retour : « Comme elle est gentille et bonne votre lettre de ce matin, cher maître. Elle continue pour moi le regard d'adieu que vous m'avez donné hier... on ne tient pas contre l'irrésistible et involontaire séduction de votre personne. » Sand envoie des livres, il remercie : « On vous admirait et on vous aimait, vous voulez donc qu'on vous adore ? Où êtes-vous maintenant ? Je suis seul, mon feu brûle, la pluie tombe à flots continuels, je travaille comme un homme, je pense à vous. » Elle va le plaisanter sur cette solitude : « Et toi, mon bénédictin, tu es tout seul, dans ta ravissante chartreuse, travaillant et ne sortant jamais ? Ce que c'est d'avoir trop sorti. » Elle, écrit-elle, court en Bretagne avec ses enfants, et, saisissant au bond la balle que lui offre le couplet sur la solitude de l'écrivain, elle tend une perche aux confidences. Elle apprécie la part de secret qui l'entoure : « Vous êtes un être très à part, très mystérieux, doux comme un mouton avec tout ça », et elle ajoute : « J'ai eu de grandes envies de vous questionner. » Sainte-Beuve colporte alors des potins sur les perversités de Flaubert... « Mais peut-être qu'il voit avec des yeux un peu salis, comme ce savant botaniste, qui prétend que la germandrée est d'un jaune sale. L'observation était si fausse que je n'ai pu m'empêcher d'écrire en marge de son livre : C'est vous qui avez les yeux sales. » N'empêche, elle aimerait bien parler encore avec lui. Après tout, « c'est si près de Palaiseau, le Croisset ! Et je suis dans une phase d'activité tranquille où j'aimerais bien [...] à rêvasser dans votre verger ». Flaubert a si bien compris la demande qu'il répond : « Si vous voulez ma confession, je vous la ferai tout entière. » L'invitation, sitôt lancée, est reçue ; elle promet une seconde visite à Croisset : « S'il fait beau, je vous ferai courir. S'il pleut toujours, nous nous cuirons les os des guiboles en nous racontant nos peines de cœur. Le grand fleuve coulera noir ou gris, sous la fenêtre, disant toujours : vite ! vite ! et emportant nos pensées, et nos jours et nos nuits, sans s'arrêter à regarder si peu de choses. » Le temps... la vieillesse... faut-il donc s'arrêter à l'âge ? « Je rêvasse tant et je vis si peu, que je n'ai parfois que trois ans. Mais le lendemain j'en ai trois cents si la rêverie a été noire. » Flaubert acquiesce : « Nous serons seuls et nous aurons le temps de causer à fond » et il renchérit sur le thème des âges : « Je n'éprouve pas comme vous ce sentiment d'une vie qui commence, la stupéfaction de l'existence fraîche éclose. Il me semble au contraire que j'ai toujours existé. » Comment un homme jeune pourrait-il mieux dire à une femme vieillie qu'il est encore plus vieux qu'elle ?

Et, pour George, Flaubert brille. Ne serait-ce que pour lui prouver que les recherches de style dans lesquelles il paraît se perdre ne l'empêchent pas d'avoir quelques idées :

« Ne trouvez-vous pas, au fond, que depuis 89 on bat la breloque ? Au lieu de continuer par la grand-route qui était large et belle comme une voie triomphale, on s'est enfui par les petits chemins, et on patauge dans les fondrières. Il serait peut-être sage de revenir momentanément à d'Holbach ? Avant d'admirer Proudhon, si on connaissait Turgot ? » Puis le futur auteur de *Bouvard et Pécuchet* se lance dans une définition du « chic » : « Mais le *chic*, cette religion moderne, que deviendrait-elle ? Opinions-chic (ou chiques) : être *pour* le catholicisme (sans en croire un mot), être pour l'esclavage, être pour la maison d'Autriche, porter le deuil de la reine Amélie, admirer

Orphée aux enfers, s'occuper des Comices agricoles, parler sport, se monter froid, être idiot, jusqu'à regretter les traités de 1815, cela est tout ce qu'il y a de plus neuf. »

Pour elle, qui veut toujours que le contenu pèse plus que la forme, il ajoute : « Ah ! vous croyez, parce que je passe ma vie à tâcher de faire des phrases harmonieuses en évitant les assonances, que je n'ai pas, moi aussi, mes petits jugements sur les choses de ce monde. Hélas, oui ! et même je crèverai enragé de ne pas les dire. »

Il a bien envie d'« échanger », lui aussi, M. Flaubert.

Alors viennent les très grandes lettres. Celle de Sand, du 1er octobre 1866. Elle blâme son ami de ses faux-semblants d'élitisme :

« Je vous ai entendu dire : Je n'écris que pour dix ou douze personnes. On dit, en causant, bien des choses qui sont le résultat de l'impression du moment. Mais vous n'étiez pas seul à le dire. C'était l'opinion du *lundi* *, ou la thèse de ce jour-là. J'ai protesté intérieurement. [...] On écrit pour tout le monde, pour tout ce qui a besoin d'être initié. Quand on n'est pas compris, on se résigne et on recommence. Quand on l'est, on se réjouit et on continue. Là est tout le secret de nos travaux persévérants et de notre amour de l'art. Qu'est-ce que c'est que l'art sans les cœurs et les esprits où on le verse ? Un soleil qui ne projetterait pas de rayons et ne donnerait la vie à rien... Cent

---

* Les dîners littéraires chez Magny se tenaient le lundi.

fois dans la vie, le bien que l'on fait ne paraît servir à rien, et ne sert à rien d'immédiat, mais cela entretient quand même la tradition du bien vouloir et du bien faire sans laquelle tout périrait. »

Cette causeuse-là, Flaubert tient à la retrouver. De Croisset, il écrit, le 21 octobre 1866 : « Nous reviendrons ici tous les deux à la fin de l'autre semaine... Alors on causera tranquillement, longuement et solidement. »

George : « [...] le jour que vous voudrez. Ma grande causerie avec vous sera de vous écouter et de vous aimer de tout mon cœur. Je vous porterai ce que j'ai *en train*. Ça me *bâillera couraige*, comme on dit chez nous, de vous lire mon *fétus* *. Si je pouvais vous porter le soleil de Nohant ! Il est splendide. »

Le deuxième séjour à Croisset mériterait un livre. Il dura du 3 au 10 novembre. George et Flaubert l'ont tant évoqué qu'on ne peut que rapporter, sans trop de broderies. Dans l'agenda de George abondent les détails qui montrent le ravissement où elle se trouve : le terme « causeries » revient trois ou quatre fois dans le récit de chaque journée.

Le dimanche 4 novembre par exemple, pour la soirée : « On a dîné, on a fait des " patiences " en famille. Gustave me lit ensuite la féerie **. C'est plein de choses admirables et charmantes, trop long, trop riche, trop plein. Nous causons encore. A deux heures et demie j'ai faim. Nous descendons chercher du pou-

---

* G. Sand écrit alors *Cadio*.

** *Le Château des cœurs*.

let froid à la cuisine. Nous sortons une tête dans la cour pour chercher de l'eau à la pompe. Il fait doux comme au printemps. Nous mangeons, nous remontons, nous fumons, nous recausons. Nous nous quittons à quatre heures du matin. »

Le 5 novembre : « Après dîner, recauserie avec Gustave. Je lui lis *Cadio*. Nous recausons et nous soupons d'une grappe de raisin et d'une tartine de confiture. »

Le 6, ils parlent jusqu'à deux heures, le 7 jusqu'à quatre...

Flaubert, lui, gardait apparemment son quant-à-soi et écrivait à une amie, après le départ de George : « Elle travaillait toute la journée, et le soir nous bavardions comme des pies jusqu'à des trois heures du matin. Quoiqu'elle soit un peu trop bienveillante et bénisseuse, elle a des aperçus de très fin bon sens, pourvu qu'elle n'enfourche pas son dada socialiste. Très réservée en ce qui la concerne, elle parle volontiers des hommes de 48 et appuie volontiers sur leur bonne volonté plus que sur leur intelligence. »

A Paris, Sand a appris la mort de Charles Duveyrier : « Je vous donne la part de mon cœur qu'il avait, ce qui, joint à celle que vous avez, fait une grosse part, et je vas dormir toute cassée... »

Alors Flaubert semble céder à la tendresse : « Je suis tout dévissé depuis votre départ... Sous quelle constellation êtes-vous donc née pour réunir dans votre personne des qualités si nombreuses et si rares ! Je ne sais pas quelle espèce de sentiments je vous porte, mais j'éprouve pour vous une tendresse particulière [et il souligne l'adjectif] et que je n'ai ressentie pour personne, jusqu'à présent... C'était bien gentil, nos causeries nocturnes. Il y avait des moments où je me retenais pour ne pas vous bécoter comme un gros enfant. »

Pourtant, Flaubert est prudent : « C'était même si bon que je désire n'en pas faire jouir les autres. Si vous vous servez de Croisset dans quelque livre, déguisez-le, pour qu'on ne le reconnaisse pas. Ça m'obligera. Le souvenir de votre présence ici est pour nous deux, pour moi. Tel est mon égoïsme. »

Qu'entendre ? Ce qui est simplement dit ? Flaubert craignait-il la facilité de son amie à faire miel de tout, et le ridicule d'une relation sur laquelle il ne voulait point qu'on bavarde ? Ou bien... Quand on craint de s'expliquer sur une relation tendre, c'est souvent qu'elle l'est trop ; et quelquefois parce qu'elle ne l'est pas assez ; on préfère alors laisser rêver davantage. Il faut lire, en tout cas, la fin de cette lettre :

« Vous " aimer " plus m'est difficile... Nous nous sommes séparés au moment où il allait nous venir sur les lèvres bien des choses ? Toutes les portes entre nous deux ne sont pas encore ouvertes. Vous m'inspirez un grand respect et je n'ose pas vous faire de questions. »

Puisque c'est lui, maintenant, qui sollicite les confidences, elle répondra sans détour : « On est heureux, n'est-ce pas, de pouvoir dire toute sa vie. C'est bien moins compliqué que ne le croient les bourgeois. »

Elle rappelle comme incidemment la terrible question d'âge, mais pour retourner la différence : « ... votre belle et franche figure... a quelque chose de paternel. L'âge n'y fait rien, on sent en vous une protection de bonté infinie, et un soir que vous avez appelé votre mère *ma fille*, il m'est venu des larmes dans les yeux. »

Qu'elle aspire à le rencontrer à nouveau éclate à l'évocation de sa solitude à Palaiseau... une lettre émouvante où elle s'attarde à décrire à son compagnon le cadre de ses nuits d'écriture :

« Me voilà *toute seule* dans ma maisonnette. Le jardinier et son ménage logent dans le pavillon du jardin, et nous sommes la dernière maison au bas du village, tout isolés dans la campagne, qui est une oasis ravissante. Des prés, des bois, des pommiers comme en Normandie ; pas de grand fleuve avec ses cris de vapeur et sa chaîne infernale ; un ruisselet qui passe muet sous les saules ; un silence... ah ! il me semble qu'on est au fond de la forêt vierge : rien ne parle que le petit jet de la source qui empile sans relâche des diamants au clair de lune. Les mouches endormies dans les coins de la chambre se réveillent à la chaleur de mon feu. Elles s'étaient mises là pour mourir, elles arrivent auprès de la lampe, elles sont prises d'une gaîté folle, elles bourdonnent, elles sautent, elles rient, elles ont même des velléités d'amour ; mais c'est l'heure de mourir, et, paf ! au milieu de la danse, elles tombent raides. C'est fini, adieu le bal ! »

Elle évoque, pour Flaubert, la présence de Manceau en allé : « Je suis triste tout de même. Cette solitude absolue, qui a toujours été pour moi vacance et récréation, est partagée maintenant par un mort qui a fini là, comme une lampe qui s'éteint. »

La confidence nocturne se termine par des phrases qui basculent entre « tu » et « vous » : « Et vous, mon ami, que fais-tu à cette heure ? La pioche aussi, seul aussi... Vous n'êtes pas forcé de m'écrire quand tu n'es pas en train... »

Et de quoi parlent les « troubadours », comme ils aiment à s'appeler entre eux ? Entre autres choses... de la chasteté ! George s'occupait alors d'un de ses protégés, élève à l'école des Mines de Saint-Étienne. Le jeune homme désirait se marier. George l'avait sévèrement tancé :

« Comment, bêta, c'est à la veille de tes examens que tu te permets d'être amoureux ? allons donc ! C'est une faute ! grave. Il faut résister aux sens et à l'imagination, il faut faire l'impossible – mais ce n'est pas l'impossible, car ce n'est pas là l'amour, le cœur n'y est pour rien. Sais-tu ce que c'est que l'amour ? C'est l'amitié complète et ardente. Tout ce qui ne repose pas sur une immense affection n'est que le besoin. [...] Reprends ta raison et ta volonté. »

Le protégé avait promis de rester fiancé aussi longtemps qu'il le faudrait. Cet amour chaste fut l'objet de multiples discussions entre les deux écrivains. Avec George dans le rôle du défenseur de la pureté, Flaubert dans celui de la jouissance physique.

George : « Vous n'êtes pas pour la chasteté, monseigneur, ça vous regarde. Moi je dis qu' " elle a du bon, la rosse* ". »

---

* La plaisanterie, « elle a du bon, la rosse », revient souvent sous la plume de G. Sand. Il s'agit d'un mot attribué à l'acteur Grassot.

Flaubert : « C'est l'Effort qui est beau et non l'Abstinence en soi. Autrement il faudrait maudire la chair comme les catholiques ? Dieu sait où cela mène ! Donc, au risque de rabâcher, et de paraître un peu Prud'homme je répète que votre jeune homme a tort. S'il est continent à vingt ans, ce sera un ignoble paillard à cinquante. Tout se paye ! Les Grandes Natures – qui sont les Bonnes – sont avant tout prodigues et n'y regardent pas de si près à se dépenser. Il faut rire et pleurer, aimer, travailler, jouir et souffrir, enfin vibrer autant que possible dans toute son étendue. Voilà, je crois, le vrai humain. »

George : « Se développer dans tous les sens, vous dites ? Pas à la fois, ni sans repos, allez ! Ceux qui s'en vantent blaguent un peu, ou s'ils mènent tout à la fois, tout est manqué. Si l'amour est pour eux un petit pot-au-feu et l'art un petit gagne-pain, à la bonne heure ; mais, s'ils ont le plaisir immense, touchant à l'infini, et le travail ardent, touchant à l'enthousiasme, ils ne les alternent pas comme la veille et le sommeil. Moi je ne crois pas à ces Don Juan qui sont en même temps des Byron. Don Juan ne faisait pas de poèmes et Byron faisait, dit-on, bien mal l'amour. »

Ainsi a glissé la discussion. Et si ce n'était pas à son jeune ingénieur que George prêchait la chasteté ? Qui sait les sous-entendus, les non-dits concernant leur propre relation à tous deux, qu'eux seuls ont pu lire, écrire et comprendre entre les lignes ? Elle soutient l'incompatibilité entre sensualité et « vie d'artiste » – comme elle dit : « Et c'est à vous, mon frère, que ce discours s'adresse... »

Nous revoilà en littérature. Sur cette grande affaire, ils n'en finiront pas de mesurer leurs différences.

De Flaubert à G. Sand, sur sa facilité à écrire à elle :

« Je ne peux mieux vous comparer qu'à un grand fleuve d'Amérique : énormité et douceur. »

De G. Sand à Flaubert, sur ses difficultés à lui : « Vous avez des angoisses et des enfantements. C'est beau et c'est jeune, n'en a pas qui veut. »

Mais, attention, George se défend, elle travaille ! « Votre vieux troubadour est content, ce soir. Il a passé la nuit à refaire un second acte qui ne venait pas bien et qui est bien venu. [...] Quand on a une patience de bœuf et le poignet rompu à casser des pierres, bien ou mal, on n'a guère de péripéties et d'émotions à raconter. Mon pauvre Manceau m'appelait le *Cantonnier,* et rien de moins poétique que ces êtres-là. »

Flaubert tente d'expliquer ce qu'elle traite d'accouchements laborieux :

« Je ne suis pas du tout surpris que vous ne compreniez rien à mes angoisses littéraires ! je n'y comprends rien moi-même. Mais elles existent pourtant et violentes. Je ne sais plus comment il faut s'y prendre pour écrire, et j'arrive à exprimer la centième partie de mes idées, avec des tâtonnements infinis. Il y a des jours, ajoute-t-il, où je me sens au-dessous du crétinisme... »

Mais lui ne s'étale pas dans ses livres. Il refuse le spontané. « J'éprouve une répulsion invincible à mettre sur le papier quelque chose de mon cœur. Je trouve même qu'un romancier n'a pas le droit d'exprimer son opinion sur quoi que ce soit. Est-ce que le bon Dieu l'a jamais dite, son opinion ? Voilà pourquoi j'ai pas mal de choses qui m'étouffent, que je voudrais cracher ou que je ravale. »

La réaction de George sera vive : « Ne rien mettre de son cœur dans ce qu'on écrit ? Je ne comprends pas du tout, oh mais, pas du tout. Moi il me semble qu'on ne peut pas y mettre autre chose. »

L'auteur de *Madame Bovary* précise alors : « J'ai voulu dire : ne pas mettre sa personnalité en scène. Je crois que le grand art est scientifique et impersonnel. Il faut, par un effort de l'esprit, se transporter dans les Personnages et non les attirer à soi. »

Sand entendait autrement l'oubli de la personnalité. Elle appelait cet oubli « inspiration » :

« Le vent joue de ma vieille harpe comme il lui plaît d'en jouer. Il a ses hauts et ses bas, ses grosses notes et ses défaillances, au fond ça m'est égal pourvu que l'émotion vienne, mais je ne peux rien trouver en moi. C'est l'*autre* qui chante à son gré, mal ou bien, et quand j'essaie de penser à ça, je m'en effraie et me dis que je ne suis rien, rien du tout. »

On discute... on se compare... on se confronte... Et dans toutes ces lettres, en contrepoint des sujets « sérieux », affleure la petite conversation cachée de l'amour impossible, de l'amitié miraculeuse. En décembre 66, George a été malade. Elle pense à la mort. « Je tire cet avertissement du grand calme ; toujours plus calme, souligne-t-elle en citant Goethe, qui se fait dans mon âme jadis agitée. » Et parlant d'une autre vie : « Il me semble qu'il m'est dû quelque chose de moins compliqué, de moins civilisé, de plus naturellement luxueux et de plus facilement bon que cette étape enfiévrée... » En fin de lettre perce une pointe de curiosité ou d'inquiétude jalouse. « La solitude ne te pèse pas ? Je pense bien qu'il y a quelque part une belle amie qui va et vient, ou qui demeure par là. »

Flaubert : « Vous vivrez vieille et très vieille, comme vivent les géantes puisque vous êtes de cette race-là. » Et, rassurant : « Quoique vous en supposiez, " aucune belle dame " ne vient me voir. Les belles dames m'ont beaucoup occupé l'esprit mais m'ont pris peu de temps. »

Sand écrit alors cette page sur la vieillesse et l'amour :

« ... quand on sent fuir l'intensité du *moi,* on aime les personnes et les choses pour ce qu'elles sont par elles-mêmes [...] et nullement pour ce qu'elles apporteront en plus à votre destinée. C'est comme le tableau ou la statue que l'on voudrait avoir à soi quand on rêve en même temps un beau chez-soi pour l'y mettre. Mais on a parcouru la verte Bohême sans rien y amasser, on est resté gueux, sentimental et troubadour. On sait très bien que ce sera toujours de même et qu'on mourra sans feu ni lieu. Alors on pense à la statue, au tableau dont on ne saurait que faire et que l'on ne saurait où placer avec honneur si on les possédait. On est content de les savoir en quelque temple non profané par la froide analyse, un peu loin du regard, et on les aime d'autant plus. On se dit : je repasserai par le pays où ils sont. Je verrai encore et j'aimerai toujours ce qui me les a fait aimer et comprendre. Le contact de ma personnalité ne les aura pas modifiés, ce ne sera pas moi que j'aimerai en eux. Et c'est ainsi vraiment, que l'idéal qu'on ne songe plus à fixer, se fixe en vous parce qu'il reste *lui.* Voilà tout le secret du beau, du bon, du *seul vrai,* de l'amour, de l'amitié, de l'art, de l'enthousiasme et de la foi. Penses-y, tu verras. »

Flaubert s'était traité récemment d'« hystérique », elle répond :

« Qu'est-ce que c'est aussi que d'être hystérique ? [...] N'est-ce pas un malaise, une angoisse, causés par le désir d'un impossible *quelconque* ? En ce cas, nous en sommes tous atteints, de ce mal étrange, quand nous avons de l'imagination ; et pourquoi une telle maladie aurait-elle un sexe ? Et puis encore, il y a ceci pour les gens forts en anatomie : *il n'y a qu'un sexe.* Un homme et une femme c'est si bien la même chose que l'on ne comprend guère les tas de distinctions et de raisonnements subtils dont se sont nourries les sociétés sur ce chapitre-là. »

Flaubert revient sur ces différences des sexes et des âges :

« Quand la marée est venue et a fait craquer les glaçons de la Seine, et l'eau gelée qui couvrait les cours, c'était, sans blague aucune, superbe. Alors j'ai pensé à vous, et je vous ai regrettée. Je n'aime pas à manger seul. Il faut que j'associe quelqu'un ou l'idée de quelqu'un aux choses qui me font plaisir. Mais ce quelqu'un est rare. Je me demande, moi aussi, pourquoi je vous aime. Est-ce parce que vous êtes un grand

Homme ou un *être charmant* ? Je n'en sais rien. Ce qu'il y a de sûr, c'est que j'éprouve pour vous un sentiment *particulier* et que je ne peux définir. Et à ce propos, croyez-vous (vous qui êtes maître en psychologie) qu'on aime deux personnes de la même façon ? Je ne le crois pas, puisque notre individu change, à tous les moments de son existence. [...] Je crois que le cœur ne vieillit pas. Il y a même des gens chez qui il augmente avec l'âge, j'étais plus sec et plus âpre il y a vingt ans qu'aujourd'hui. Je me suis féminisé et attendri par l'usure, comme d'autres se racornissent. Et cela m'indigne. Je sens que je deviens *vache.* Il ne faut rien pour m'émouvoir. Tout me trouble et m'agite. Tout m'est aquilon comme au roseau. »

Plus gaie, le printemps s'annonçant, George claironne à Gustave : « L'ami de ton cœur, le vieux troubadour, se porte comme dix mille hommes qui se portent bien, et il est gai comme un pinson, puisque de nouveau le soleil brille et la copie marche. »

Coquette, elle ajoute : « Tu me diras les heures où tu ne reçois pas le beau sexe et où les troubadours sexagénaires ne te dérangent pas. »

Flaubert réplique : « Mes petites histoires de cœur ou de sens ne sortent pas de l'arrière-boutique. »

Elle l'invite à Nohant, mais chaque fois la visite promise est contrecarrée par quelque obstacle. Elle se plaint de vivre assoupie « dans des spleens de miel et de rose ». Et il répond : « Comme c'est triste de ne pas vivre ensemble, chère maître. »

Pourtant, le travail sauve toujours George. Le 30 mai, *Cadio* terminé, elle écrit à Flaubert :

« J'ai fini *Cadio,* ouf ! ! ! ! Je n'ai plus qu'à le relécher un peu. C'est une maladie que de porter si longtemps cette machine dans sa trompette... A présent je n'ai plus que quinze ans ! »

Restons-en là. Quand on découvre de tels bonheurs de mots... Quand une histoire toute simple devient palpitante parce qu'elle réunit un monstre de vie et un monstre d'intellectualité... où s'arrêter ? Le récit des événements dirait qu'il ne se passa rien entre Sand et Flaubert. Mais le foisonnement de ce rien-là ! Le sentiment aigu qu'ils durent avoir que jamais deux contraires ne s'étaient aussi bien compris, si fortement fascinés, qu'ils se découvraient trop tard, que le temps allait leur manquer, qu'ils n'en finiraient jamais d'approcher avec précaution leurs tentacules, éloignant les caresses interdites, soupesant les délices des étrangetés.

La menace de la mort est de plus en plus présente dans la vie de George, même lorsqu'il lui échappe des cris comme ce « je n'ai que quinze ans ». Un petit garçon est né en juillet 1863, Marc-Antoine Sand. Il mourra l'été suivant. Depuis tant d'années maintenant, George rêve de se survivre à travers les enfants de ses enfants !

Maurice s'était complu jusqu'à trente-neuf ans dans un célibat confortable ; George hésitait toujours, face à ce grand fils charmeur et sans doute un peu indolent, entre tendresse et agacement. Parviendrait-elle à le marier ? Plusieurs tentatives furent vaines, puis vint Lina, Marcelline Calamatta, la fille du graveur d'origine italienne, Luigi Calamatta, que George connaissait depuis longtemps. Lina était brune, vive, intelligente ; musicienne, elle chantait à merveille ; pratique, elle allait obliger Maurice à s'occuper avec elle de la direction de Nohant. Un échange résume les rapports familiaux d'alors : George écrivait à Flaubert l'été 67 : « Ma fille Lina est toujours ma vraie fille. *L'autre* (soulignait-elle) se porte bien et elle est belle, c'est tout ce que j'ai à lui demander. » Lina, elle, déclarerait un jour : « Oh ! j'ai bien plus épousé George Sand que Maurice Sand et je me suis mariée avec lui parce que je l'adorais, elle. »

Après la mort du petit Marc-Antoine, George attend d'autres « espérances ». Aurore naît en janvier 1866. Sa grand-mère tremblera à ses moindres rhumes, gourmandera sa belle-fille de placer le bébé dans une pièce au nord, multipliera dans ses lettres les conseils de régime et de soins. Entre une discussion passionnée avec Flaubert sur les mérites du subjectivisme et du réalisme, une lettre grave à Armand Barbès sur les chances de démocratie et les risques de guerre, entre une dispute avec l'éditeur Buloz, une escapade en Normandie « pour ne pas mettre un coup de soleil à faux » dans les décors de *Mademoiselle Merquem,* entre une répétition des *Beaux Messieurs de Bois-Doré,* et un dîner chez Magny, George pense à Aurore, et écrit à Lina : « Je bige Lolo. Qu'est-ce qu'on peut lui apporter pour la surprendre ? »

La veille de cette journée passée à Palaiseau, George est allée à Marly, chez les Dumas. Alexandre Dumas fils est devenu un grand ami depuis qu'il a rapporté à George la liasse de ses lettres à Chopin, retrouvée par hasard à la frontière russo-polonaise. Elle l'appelle « mon fils », il lui écrit « chère maman ». Il a collaboré avec elle pour la transposition théâtrale du *Marquis de Villemer,* il travaille de nouveau à celle de *Mont-Revêche.* Comme il semble avoir conçu quelque amertume de ne pas voir son mérite reconnu au moment du triomphe de *Villemer* – pendant qu'une de ses propres pièces, *L'Ami des femmes,* faisait un four –, George lui propose de signer lui-même l'adaptation ou au moins de rédiger un traité entre eux pour qu'il s'assure une partie des bénéfices.

En 1861, Alexandre s'était fait accompagner à Nohant, en s'excusant d'imposer un invité de plus : un peintre d'origine alsacienne. « [Il] ressemble assez à vos chiens de Terre-Neuve que l'on nomme " Marchal le Gigantesque " qui pèse 182 livres et qui a de l'esprit comme quatre. Celui-ci couchera n'importe où, dans un poulailler, sous un arbre, sous la fontaine. Peut-on l'amener ? » On s'accommodera si bien du nouveau visiteur qu'il restera à Nohant au départ de Dumas.

George s'amusait de la gaieté de Marchal, de son entrain à vivre. S'étant improvisé portraitiste de George, de Manceau, de Maurice, il était devenu la coqueluche de Nohant. « Marchal fait mon bonheur, raconte-t-elle en plaisantant à Dumas. Les sentiments les plus tendres nous unissent, à présent je suis " sa cousine ", Dieu sait pourquoi. Moi je l'appelle " mon chéri " », puis, dans l'agenda, « Marchal devient " mon gros bébé " ». Manceau est, à l'époque, le compagnon de George et, nous disent les biographes, les relations entre l'écrivain et le « Mastodonte » s'en tiennent à l'amitié cajoleuse. Pourtant, en septembre 1864, elle fera, avec Marchal, une petite fugue. Manceau installait un chauffage à Palaiseau et le graveur s'agaçait, pendant les travaux, de la présence de son amie. George se fait alors accompagner par le peintre - huit jours durant - à Gargilesse. Nous n'aurons du séjour qu'un écho ironique dans une lettre à Maurice et Lina : « Marchal vous envoie ses compliments et ses amitiés. Il ne va pas trop mal. Il mange bien et dort beaucoup. Sa petite santé a bien supporté le voyage. Il est enthousiasmé de Gargilesse. »

Après la mort de Manceau, les appels à Marchal seront incessants. Billets courts (le peintre écrivait peu lui-même) fixant des rendez-vous avec des précisions inquiètes. Propositions de dîner, de spectacles, de moments tranquilles à passer ensemble, bien différentes des lettres inspirées où George mettait le meilleur d'elle-même pour Flaubert. Des « poulets », comme eût dit l'autre ami, Théophile Gautier, où le peintre se fait baptiser de surnoms tendres, cocasses ou coquins : « mon gros arlinquin », « mon lapin bleu », « mon lapin rose », « mon gros printemps », « mon gros toqué »... Au-delà de la farce, la liaison avec Marchal fut sans doute rassurante pour George. Avant un spectacle où elle lui confie désirer sa compagnie, elle ajoute : « Tu es un rude gobeur comme moi, tu écoutes et tu ne critiques pas pendant la pièce. Enfin tu me supportes comme je suis. » Un jour d'avril 66 à Palaiseau, elle l'appelle : « Viens si tu peux. Tu me feras grand bien. Tu sais que pour moi je ne demande pas souvent qu'on m'aide à prendre le dessus. Mais ici, je broye bien du noir. » Et comme il oublie de répondre aux lettres : « Ça m'ennuie, mon gros, de ne pas entendre parler de toi. Où vas-tu, que deviens-tu, comment es-tu ? » D'ailleurs, écrira-t-elle à Dumas, il n'y a que Marchal pour la « désintimider ». Et, entre les visites à Flaubert et les dîners littéraires, elle se retrempe à sa simplicité :

« Pourvu que je sois avec toi et que j'aille devant moi, tout me botte. [...] Il me semble que je recommence la vie et que je vois tout pour la première fois. Pourquoi ça ? Je n'en sais absolument rien. Pourquoi rajeunir à soixante-trois ans, pour tomber tout à coup en enfance, peut-être dans peu ? Ah bah, tant pis ! Pourquoi les pluies d'étoiles filantes ? on ne le sait pas, et c'est pourtant beaucoup plus gros et plus intéressant que moi. »

George aura ainsi, jusque tout au bout de sa vie, des flambées de jeunesse.

Quelques jours avant ce passage à Palaiseau où nous l'avons rejointe, elle se baignait dans l'Indre, presque noire sous les feuillages, près du moulin : « Je suis encore ici, fourrée jusqu'au menton dans la rivière, tous les jours, et reprenant mes forces tout à fait dans ce ruisseau froid et ombragé que j'adore, et où j'ai passé tant d'heures de ma vie à me refaire après les trop longues séances en tête à tête avec l'encrier. »

Elle aurait pu écrire alors, comme quelques mois plus tôt : « J'ai renaissu aujourd'hui » !

8

Dimanche 1er décembre 1872

L'humanité est indignée en moi et avec moi. Cette indignation qui est une des formes les plus passionnées de l'amour, il ne faut ni la dissimuler ni essayer de l'oublier.

« La grand-mère botaniste pense au billet qu'elle expédiera au Temps demain... »
Dessin de Pauline Viardot, coll. G. Lubin.

« LE 1er décembre, c'était avant-hier, j'ai véritablement vécu sans me souvenir de mon âge et de mes sabots. »

Elle a soixante-huit ans. L'automne est rude, il pleut à verse. Au milieu du déluge, pourtant, quelques éclaircies « printanières » : le 1er décembre est de ces journées d'exception. George et Maurice en profiteront pour herboriser. Aujourd'hui, dimanche, les deux petites filles seront de la fête. Aurore (Lolo) a presque sept ans, Gabrielle (Titite) aura cinq ans le mois prochain. A midi, la carriole est prête. De sa chambre, George entend les fillettes qui s'excitent joyeusement autour de la voiture, et la voix impatiente de son fils qui l'appelle. Ils pousseront la promenade jusqu'à « l'étang qui déborde », comme dit Aurore : une course de deux heures qui permettra de s'éloigner des couches calcaires, autour de Nohant, pour trouver, sur le granit, des chenilles et des plantes.

Maurice est monté la chercher. George plie soigneusement l'exemplaire du *Temps* qu'elle consultait, déchausse ses lunettes et s'emmitoufle dans un vaste manteau à capeline. A pas prudents, elle descend l'escalier, appuyée au bras de son fils. Aurore et Gabrielle se précipitent, Sylvain se tient respectueusement devant le marchepied pour aider madame à monter. L'habitacle de la voiture est tout encombré de « jeannettes * ». Sur le toit, un vaste panier, « une manne » pour récolter des plantes rares sur les sols pauvres de la campagne berrichonne, et le « troubleau ** », qui a l'air d'un mât couché sur la capote. Gabrielle, tout affairée, recense les bagages qu'elle emporte : un chargement complet de « poupées de linge » avec leurs manteaux, leurs manchons, leurs ombrelles. Aurore tient contre elle sa « couffe de sparterie », où elle a couché « Rose », une poupée mauresque aux bras articulés, dont elle caresse les cheveux noirs et les joues de porcelaine. A la fin de la promenade, elle rapportera des « objets d'histoire naturelle à son usage ». Découvertes-jouets, « cailloux roulés bien ronds et bien roses, touffes de mousses microscopiques pour faire des jardins et des forêts sur une assiette, cupules de glands desséchés » et – comme George ne résiste

* Note de G. Sand : « Vous savez bien tous ce que c'est que Jeannette ? Non ? Si je vous dis que c'est *la boîte de Dillénius,* cela vous paraîtra bien pédant. Je pense comme vous d'avance et j'aime bien mieux ce bon petit nom champêtre que les amateurs de botanique sans prétention ont donné à la boîte de fer-blanc peinte en vert qu'ils passent à une courroie et qu'ils portent sous le bras, pour rapporter de la promenade les plantes de quelque intérêt sans qu'elles soient flétries. »

** Note de G. Sand : « Sorte de sac en forte toile, moulé sur un cercle de fer et armé d'un manche très résistant. »

jamais au plaisir d'évoquer les noms précis et mystérieux – « galles de feuilles de chêne où elle ne trouve plus les petits cynips qui les ont produites au printemps ». Les fillettes ont calé entre elles un panier plus ventru que les autres : la « jeannette au goûter ».

La voiture file. La lumière rasante d'hiver sur les « jeunes blés » joue au velours. Il a tellement plu, cette semaine, que le moindre creux du chemin s'est empli d'eau, et renvoie le soleil. « Chaque sillon est un miroir ardent. » Sur les champs mouillés, des corbeaux, de noir étincelant : des pies qui jacassent et « se disent avec aigreur des choses malséantes à propos d'un fétu de paille », note George qui enchaîne aussitôt : « Chacun pour soi, c'est le mot des partis. »

Car George a pris avec elle, pour la halte, le compte rendu de la séance à la Chambre. Mauvais temps sur la politique comme à la campagne ces jours-ci... [La grand-mère botaniste pense au billet qu'elle expédiera au *Temps* demain...] Voilà plus d'un an que dure sa collaboration avec le journal. Elle envoie ce qu'elle veut, choisit ses sujets à bâtons rompus. Elle songeait à faire un papier sur la botanique et l'entomologie. Ces pies acharnées à fouiller les mottes de terre lui suggèrent un rapprochement qui l'amuse. Les partis... les politiciens... oiseaux bavards, âpres à la conquête... Et ce temps d'automne, éclaircie « entre deux nuages* ».

* « Entre deux nuages » sera le titre de l'article donné au *Temps,* daté du 3 décembre, et repris ensuite dans *Impressions et Souvenirs.*

Sylvain a fait arrêter la voiture en bordure de l'étang. En été, ce n'est qu'une mare rétrécie au milieu du champ, dans sa cuvette de glaise. Aujourd'hui, « grossi par les pluies », il se « déverse en torrent dans les prairies » situées en contrebas. Les fillettes ont sauté du marchepied en applaudissant au spectacle. L'eau échappée se heurte en rigoles aux blocs de granit émergeant de la verdure. Aurore se précipite pour tremper les mains dans le ruisselet glacé, Gabrielle retient sa sœur en tirant sur sa cape. Puis ils décident de laisser la voiture et de marcher le long du chemin. George avait bien emmené sa serpette et sa jeannette personnelles. Elle s'en servira peu, accaparée par les deux petites filles pendues à chacun de ses bras.

Maurice, lui, fait sa moisson. Avec des gestes de faucheur, il promène le troubleau dans les tapis de bruyère, le fait glisser sous les touffes de fougères rouillées. Dans le sac tombent les cocons, à la toile s'accrochent de minuscules êtres vivants. George, répondant au babillage des enfants, suit la récolte d'un œil complice. Des chenilles, beaucoup de chenilles. De ces vilaines bêtes - aux yeux du vulgaire -, elle fera l'éloge ; elles sont « dans la mystérieuse existence de l'insecte, l'être véritable qui détermine l'espèce [...]. Il ne connaît pas l'amour, il le prépare pour une autre existence ». Elle connaît tous les détails de ces métamorphoses et ne dédaignera pas de les apprendre à ses lecteurs du *Temps*. La vie foisonnante du monde des insectes a souvent donné aux réflexions de George une dimension cosmologique :

« Il y en a partout, dans les racines de tous les

arbres, dans les feuilles roulées ou dans les tiges de toutes les plantes, dans les nervures des feuilles, dans l'intérieur des branches, dans la capsule des graines, dans la poussière des arbres morts, dans la glume des graminées, dans les vases des étangs, dans la moelle des roseaux : partout enfin où il y a élément de végétation, une végétation animale installe son avenir et attend son heure. »

Encore une passerelle possible pour la réflexion politique. Le gouvernement de M. Thiers n'a rien d'un printemps. Il ressemble si peu à ces rêves de république qui avaient fait vibrer Aurore en 1830, qui avaient jetée George dans la bataille de 1848. Période de transition ? Peut-on soupçonner ce qui « attend son heure » dans ce régime modéré cherchant à retrouver un équilibre après la défaite et la Commune ? Sera-t-il poussé vers la droite extrême par le péché originel de sa naissance versaillaise ? La recherche de cohésion nationale le fera-t-il pencher à gauche ? George n'est plus qu'observatrice. Loin le temps où elle prenait part aux « conciliabules », loin le temps des épîtres vibrantes et des bulletins officiels. George apporte, à la lecture des événements chaotiques de l'histoire, des patiences d'entomologiste et des convictions résignées.

George rêve, glissant d'un plan à l'autre. Dans le monde des insectes, elle aperçoit des agencements, des individualités, des mouvements qui pourraient être ceux des sociétés humaines. Pour les *Contes d'une grand-mère,* elle a composé un curieux récit, « La Fée aux gros yeux », où le « féerique » se révèle n'être que la transposition du « naturel ». « La nature travaille mieux que les fées », avait-elle écrit. La fée du conte est une institutrice douée simplement d'une vue extraordinaire, qui perce l'obscurité et grossit de manière démesurée les objets observés. Pour elle, le spectacle d'une nuit d'été est une fête magnifique : autour d'une lampe, elle organise un bal où les invités sont des papillons et des insectes dont l'écrivain se fait une joie de citer les noms, de décrire les robes, de noter les danses. La nature est la mère féconde. Elle travaille selon des schémas souvent semblables dans des domaines que nous estimons différents. Quelque philosophe pointilleux accuserait bien George de céder à l'anthropomorphisme et de soupçonner des mécanismes humains là où ils n'ont pas de place. Pour la passionnée de curiosité qu'elle était, il serait plus juste de parler d'un goût de l'observation, de la comparaison, qu'elle avait exercé toute sa vie. Elle se plaît à relever ici le grouillement de vie subreptice réfugiée sous les feuilles et dans les mousses. Et si la nature va son train dans son apparence immobile, pourquoi l'histoire des hommes ne poursuivrait-elle pas sa marche par des cheminements secrets ?

Peut-être faut-il, en politique aussi, se résigner à l'hiver. L'article du *Temps* où elle rapporte la promenade du 1er décembre rend hommage au froid courage de M. Thiers. Pas plus qu'hier, il n'a sa sympathie, mais il a le cran – pense-t-elle – de proposer des solutions au pays divisé. La droite n'accepte pas la IIIe République ; elle espère quelque restauration. La gauche est pressée de voir reconquises des libertés, abattues des injustices. George ne cache pas que son cœur penche de ce côté-ci. Elle conteste le principe d'autorité de la monarchie, ligué avec le cléricalisme qu'elle abhorre. « Dieu n'a pas fait entrer dans son plan universel le caprice personnel de la répression... Il n'a chargé aucun de ces êtres microscopiques qui s'intitulent le genre humain de sévir à sa place. » A la gauche, elle ne reproche qu'une chose : n'avoir pas réussi à gagner la confiance de l'électorat. « Ils ne représentent pas en assez grand nombre l'aspiration et la décision de la France actuelle », même si cette adepte incorrigible de la différence entre pays légal et pays réel ajoute aussitôt : « Leur faible majorité répond à une majorité immense qui se manifestera [...] une autre fois. » Thiers est l'homme du centre ; il ne se démarque guère de Falloux, de Mgr Dupanloup. Sauf sur un point, et celui-ci, pour George, est essentiel : la question des liens entre l'Église et l'État. Trop conservateur aux yeux de George, Thiers a donc le mérite, pour elle, de refuser les prétentions du parti clérical à régenter la société, les mœurs et les arts. La droite catholique a détourné l'idéal religieux à des fins de pouvoir : « L'homme, quelque philosophe ou résigné qu'il soit, n'a jamais sujet d'être content sur la terre, et l'on comprend bien qu'il ait toujours aspiré à trouver un refuge dans quelque paradis arrangé à sa guise. Il eût été logique de lui dire : " Espère, tu souffriras moins. " Mais on lui a dit : " Souffre toujours et n'espère rien en ce monde. " Et l'homme ignorant a donné sa démission, tandis que les habiles de la doctrine régnaient sans contrôle et satisfaisaient leur passion de commander à ce monde méprisable. »

La question du cléricalisme, en ce début de la IIIe République, est autre chose qu'une affaire de laïcité scolaire. George Sand y voit la fêlure entre partisans d'un ordre injuste - sanctifié par résignation - et partisans du progrès. La petite-fille de Mme Dupin de Francueil se souvient de l'athéisme indulgent et de l'esprit voltairien de son aïeule. Elle-même, si imprégnée de conviction religieuse, s'est toujours heurtée au « parti-prêtre ». Maurice et Lina, par piété à l'égard de George autant que par conviction, ont fait baptiser Aurore et Gabrielle dans la confession protestante. En ce début de décembre, la pièce tirée de *Mademoiselle La Quintinie* est menacée par la censure : « Les censeurs ont déclaré que c'était un chef-d'œuvre de la plus haute moralité, mais qu'ils ne pouvaient pas prendre sur eux d'en autoriser la représentation. » Au moment où elle bénit M. Thiers, elle écrit à Charles Edmond - directeur du *Temps* : « Ne laissez pas la Quintinie tomber aux mains des généraux... En ce moment, elle soulèverait des tempêtes et je ne suis pas d'avis de mettre des bâtons dans les roues du chef de l'État qui “ navigue ”, comme dit M. Prudhomme, sur un volcan. »

George Sand, au lendemain de la guerre de 1870 et de la Commune, n'a pas abandonné ses convictions ; elle est républicaine ; elle est même, dirions-nous aujourd'hui, « de gauche » ; pourtant, l'affrontement sanglant de 1871 l'a laissée en plein désarroi ; et son état d'esprit, en ces jours hésitants de rétablissement du pays, refuse avant tout les nouveaux déchirements politiciens, et aspire - contre la peur des grandes violences et des petits calculs – au calme de la vie individuelle et familiale. Cette femme de soixante-huit ans, qui emporte avec elle, dans sa promenade dominicale, le compte rendu de la séance à la Chambre, continue de s'intéresser à la politique. Mais elle ne met plus d'espoir véritable en elle. « On n'ose penser au mal général, on se serre autour d'un foyer domestique... » « Ce devient un devoir de se plonger dans l'égoïsme de la famille pour échapper au désespoir », écrivait-elle en janvier. En mars, elle notait à nouveau : « Nous continuons à être heureux dans notre île, tristes seulement quand nous mettons le nez à la fenêtre qui ouvre sur le monde. » Au jeune protégé Francis Laur, ingénieur des mines à Saint-Étienne, à qui elle avait prêché la patience devant l'amour pendant ses études, elle recommande aujourd'hui l'activité professionnelle sérieuse plutôt que le papillonnage politicien. « Tu as donc une meilleure situation qu'auparavant ? Dieu soit loué, il faut travailler pour la famille pendant que tu es jeune et actif. L'avenir est très précaire pour tout le monde, et j'ai pris la politique en horreur depuis que j'ai vu que, *dans tous les partis,* c'est à présent un moyen de parvenir sans travailler. » Elle a souligné « dans tous les partis »... Là réside sa méfiance essentielle.

L'organisation des partis politiques, comme système de clans irréductibles, lui paraît un vice : « Il est impossible qu'on ne se lasse pas de cet esprit de parti ou de secte qui fait qu'on n'est plus français, ni homme, ni soi-même. On n'a pas de pays, on est d'une Église ; on fait ce que l'on blâme, pour ne pas manquer à la discipline de l'école », écrit-elle à Flaubert. Si toute la vie publique doit passer par là, alors mieux vaut le repliement sur la vie intérieure. A Solange, elle déclare : « Comment avaler l'horreur de la vie générale si on n'a un coin pour se réfugier [...] ? Le coin matériel, le home ne suffit pas, il y a le nid intérieur, le petit sanctuaire, la petite pagode intellectuelle [...], que l'âme se bâtit. » A Paul Meurice *, qui se dit tenté par le journalisme politique, elle conseille avec vivacité de faire... de la littérature ! « Il me semble qu'il y a d'autres grands coups à frapper pour ceux qui ont le talent et l'énergie que les coups d'épingle de tous les jours », et elle explique ce choix, étonnant pour qui la connaît : « [...] j'éprouve un impérieux besoin de n'appartenir à personne, de n'être d'aucune Église ou confrérie si petite et si choisie qu'elle soit. Nous sommes en pleine dissolution. Personne ne voit plus le chemin à prendre pour sortir de l'enfer. C'est le moment de se recueillir, de n'obéir qu'à son sentiment individuel, d'échapper à l'ivresse collective et d'exprimer ce qu'on a en soi en s'isolant de toute influence extérieure du moment. *Seul,* on est avec *tous,* ce qui vaut mieux que d'être avec quelques-uns. [...] Pourquoi vous effacez-vous dans un nombre déterminé ? Vous qui n'êtes pas poussé par l'ambition et la vanité, que faites-vous de ce que Dieu vous a

* Paul Meurice, homme de lettres, fut le collaborateur de plusieurs écrivains. « Nègre » d'Alexandre Dumas père, il dirigea aussi l'édition en quarante-six volumes des œuvres de V. Hugo. Il travailla avec G. Sand pour trois de ses pièces : *Les Beaux Messieurs de Bois-Doré, Le Drac* et *Cadio.*

donné à vous, à vous seul et bien à vous, votre génie individuel ? Pourquoi ne faites-vous pas une pièce, un livre ou de la critique d'art en dehors de l'esprit de parti ? » Cette lettre était du 29 mars 1872.

Quelques mois plus tard, George voit ainsi comme une accalmie « entre deux nuages » en appréciant l'engagement républicain de Thiers. L'état d'esprit reste pourtant le même, et se résume en deux mots : patience et prudence. La grande erreur a peut-être été de mettre trop d'espoir en la politique. George, devant les débuts du nouveau régime, a cette attitude désabusée et finalement très moderne : « Il nous faudrait de bons commis et laisser l'âme du pays chercher en elle-même son élan et son inspiration. Je ne veux, à la place de mon âme, ni celle de Thiers ni celle de Blanqui. Arrière les prêtres au pouvoir, quelque robe qu'ils portent. La République se sauvera elle-même, si on ne l'impose pas comme un dogme. »

Le mot « totalitaire » n'est apparu dans notre vocabulaire que vers 1930. George, contre les dogmatismes en politique, a les méfiances que l'histoire nous a appris à éprouver vis-à-vis des totalitarismes. Un dogme engendre son contraire, et les éclats entre leurs partisans seront toujours violents. « Nous allons au cléricalisme qui est le chemin du pétrolisme* puisque c'est la même doctrine de vengeance, de haine et de mort. » George – plus qu'à tout autre moment de ce XIXe siècle dont elle a vécu, engagée,

* Le nom de pétroleuses avait été donné par les versaillais aux femmes du peuple qui, pendant la Commune, auraient utilisé du pétrole pour allumer et hâter les incendies.

tous les grands événements – a été déchirée par la Commune.

Pour certains, George s'était tout bonnement embourgeoisée dans son confort d'écrivain célèbre, de grand-mère heureuse, de châtelaine respectée, et les remises en cause des communards lui auraient été insupportables.

Il est vrai que les années qui ont directement précédé la guerre de 1870 ont été pour elle des années paisibles. Du travail, encore et toujours, *Cadio, Mademoiselle Merquem, Malgré tout, Césarine Dietrich, Lupo Liverani,* des adaptations pour le théâtre dont *La Petite Fadette, L'Autre*, des articles... mais George serait-elle heureuse sans travail ? D'ailleurs elle goûte, entre les séjours parisiens dans son nouvel appartement de la rue Gay-Lussac, de longues périodes à Nohant où Lina l'a déchargée de toute la tenue de la maison. Elle s'y consacre avec bonheur à ses petites-filles. Leur éducation sera la grande affaire de la fin de sa vie.

Pour Aurore et Gabrielle, elle laisse libre cours à sa fantaisie en composant des histoires qui seront reprises, à partir de 1873, dans les *Contes d'une grand-mère.* Surtout, elle se replonge dans toutes les théories éducatives auxquelles elle s'était intéressée pour Maurice et Solange. Pour Maurice, elle avait appelé à Nohant un précepteur, Boucoiran, recommandé pour la méthode efficace d'apprentissage de la lecture qu'il pratiquait : la méthode lafforienne. Quant à Solange – faute de trouver l'institutrice adéquate ou la pension modèle –, elle avait décidé de prendre en main elle-même son éducation. Pour Aurore, elle propose d'appliquer à nouveau la méthode *Statilégie pour apprendre à lire en quelques heures* que M. de Laffore avait fini par publier. Et George a des ardeurs de prosélyte pour guider les débutants. Elle s'est essayée, d'ailleurs, à apprendre à lire à des humbles de son entourage. Elle donne au *Temps*, en 1872, un article qu'elle intitule « Les idées d'un maître d'école » qui pourrait être, aujourd'hui encore, un classique de la pédagogie. A côté des conseils techniques sur les apprentissages – pour lesquels elle renvoie avec déférence à l'auteur cité plus haut –, elle s'intéresse avant tout au lien qui s'établit entre éducateur et enfant, à l'histoire compliquée des « résistances » possibles entre eux, à l'incompatibilité surtout entre certains comportements et l'aptitude éducative : « Si vous êtes une nature inquiète, agitée, et que vous ne puissiez pas vous vaincre, éloignez l'enfant de vous ; vous l'élèverez mal et de deux choses l'une : vous exaspérerez sa volonté ou vous le tuerez, ce qui est aussi dangereux l'un que l'autre. » Elle recommande avant tout de ne pas « fixer » les enfants par des jugements précipités, dans l'idée qu'ils se font d'eux-mêmes. « J'ai en aversion les classements méthodiques des instincts et des caractères. Ils ne peuvent jamais être définitifs, même pour les adultes ; à plus forte raison pour ces êtres malléables qui sont encore à l'état d'essai entre vos mains. » Liberté d'évolution sans doute, mais développement maximal de possibilités : « Donnez-lui cette notion de lui-même qu'il ne sera rien s'il ne sait rien ; que, sachant quelque chose, il sera un peu plus, et que, sachant beaucoup, il sera encore loin de savoir assez. Ne lui ôtez pas l'orgueil de sa conscience, c'est le seul bon, préservez-le de l'orgueil de sa capacité. »

Enfin, George parle d'or sur les enfants, parce qu'elle prend la peine de les observer : « Je joue avec Aurore des comédies à deux où nous faisons toute sorte de personnages. On est tout étonné, en faisant parler les enfants, des ressources de leurs improvisations, et de tout ce qu'ils savent à notre insu. Il est essentiel de se le faire révéler et expliquer, afin de confirmer ce qui est bien apprécié par eux et de redresser ce qui ne l'est pas [...]. Mais il faut aimer et connaître bien ce petit monde-là », écrit-elle à Charles Edmond, ce mois de septembre ; et elle s'amuse à noter, pour Juliette Adam : « Lolo apprend à lire, elle avait fait semblant d'oublier pendant les vacances, mais comme je ne me fâche pas et fais semblant de la croire, elle commence à s'ennuyer de ce jeu et à lire très bien. »

Mme George Sand - si « bénisseuse », comme dit Flaubert avec une tendresse ironique -, repliée dans sa « pagodine » intérieure, grand-mère gâteau un rien pontifiante, aurait été incapable, par égoïsme, de comprendre et de supporter - pendant la Commune de Paris - la mise en application d'idées qui lui avaient été chères. « Pourtant... »

Il faudrait écouter George durant les semaines sanglantes de la guerre et du « Temps des cerises ». Tenter d'écouter... car elle a écrit, durant les mois de 1870 et 1871, outre le *Journal d'un voyageur pendant la guerre*, des centaines de lettres ; toutes comportent quelques lignes, et souvent des pages entières sur l'actualité politique. « Retirée » à Nohant, George vibrait aux événements, souffrait, prenait parti et le faisait savoir.

La guerre éclate le 19 juillet 1870. Les négociations avec la Prusse ont été rompues le 15 après la déclaration d'Émile Ollivier à la Chambre : « Nous acceptons notre responsabilité d'un cœur léger. » George blâme aussitôt l'entraînement agressif que manifeste la capitale. Elle note dans son agenda, le 16 juillet : « La guerre est déclarée, et le mauvais Paris voyou, payé, se réjouit à grand bruit. » Le même jour, elle écrit à Juliette Adam : « On est consterné ; [...] on voit là, non point une question d'honneur national, mais un sot et odieux besoin d'essayer les fusils, un jeu de princes ! [...] J'augure très mal du drame qui se prépare, ajoute-t-elle. Je suis très triste, et cette fois, mon vieux patriotisme, ma passion pour le tambour ne se réveillent pas. » Se battre pour la République, oui, mais « chanter *La Marseillaise* sous l'air de l'Empire nous paraît un sacrilège ». Ses correspondants lui décrivent l'enthousiasme parisien ; elle fulmine : « Paris est fou. Je comprends le chauvinisme quand il s'agit de délivrer un peuple », mais « entre la France et la Prusse, il n'y a, en ce moment, qu'une question d'amour-propre, à savoir qui aura le meilleur fusil ». Et elle crie à la manipulation de l'opinion : « C'est... j'en jurerais, la police qui chante *La Marseillaise* dans vos rues, et les badauds suivent. »

Ce mois de juillet 1870 est marqué par une chaleur torride, la sécheresse ravage la campagne. On note en Berry quarante et quarante-cinq degrés. « On incendie les forêts : autre stupidité barbare. Les loups viennent se promener dans notre cour où nous les chassons la nuit, Maurice avec un revolver, moi avec une lanterne. » George se désole et ne décolère pas : « L'eau à boire va nous manquer. Les récoltes sont à peu près nulles, mais nous avons la guerre, quelle chance !... La misère couve en attendant qu'elle se change en jacquerie. Mais nous battrons les Prussiens, Malbrough s'en va-t-en guerre ! » En août, les orages arrivent, ajoutant d'autres dégâts. George n'en déplore que davantage la suite du conflit : « Peut-on vivre heureux et calme quand l'effroi et la souffrance crient autour des horizons ? Je suis Française et je n'aime pas la Prusse, tient-elle à préciser, mais trouver charmant qu'on se tue pour savoir qui est le plus fort, me semble sauvage et cruel. »

Ce sont alors les premières défaites : Frœschwiller, Forbach, les 5 et 6 août. Pour George, les raisons de ces revers ne font pas de doute. Le gouvernement n'a pas su se préparer : les armées n'avaient même pas de cartes d'état-major ! « Quel désordre, quel désarroi dans cette administration militaire qui absorbait tout et devait tout avaler ! » Surtout, on ne peut entraîner un peuple au combat, pense George, qu'avec son adhésion. La guerre, note-t-elle, est une conséquence du pouvoir personnel : « Quelle leçon reçoivent les peuples qui veulent des maîtres absolus ! »

Le 9 août, le ministère Émile Ollivier tombe, il est remplacé par le général comte de Palikao. Peu importe, selon George. Elle accepterait même aujourd'hui une restauration de la famille d'Orléans pourvu qu'on fît rapidement la paix : « Je suis inquiète de tout ce que j'aime à Paris, inquiète du mal qui pèse sur tous. » Pour Henry Harisse, cet Américain installé dans la capitale dont elle suppose qu'il connaît mal les réactions de la France rurale, elle décrit la situation en Berry. On retrouve dans cette lettre le sens des différences entre Paris et la province qui rendaient l'écrivain prudente après les premières semaines de la révolution de 1848 ; et la justesse de ses prémonitions paraît frappante : « Il faut que je vous dise ce que vous ne savez pas à Paris, ce qui se passe dans nos campagnes, les plus paisibles, les plus patientes, les moins révolutionnaires de la France, à cause de leur position centrale et du manque relatif de communications rapides. Eh bien, c'est une consternation, une fureur, une haine contre ce gouvernement. [...] Ce n'est pas une classe, un parti, c'est tout le monde, c'est le paysan surtout. C'est une douleur, une pitié exaltées pour ces pauvres soldats qui sont leurs enfants ou leurs frères. Je crois l'Empire perdu, fini. Les mêmes hommes qui ont voté le plébiscite avec confiance voteraient aujourd'hui la déchéance avec unanimité. Ceux qui partent ont la rage dans l'âme. Recommencer à servir quand on a fait son temps, c'est pour l'homme qui a repris sa charrue une iniquité effroyable. Ils se disent trahis, livrés d'avance à l'ennemi, abandonnés de tout secours [...]. C'est la méfiance, la désaffection, la résolution de punir par le vote futur. Si toute la France est ainsi, c'est une révolution, et si elle n'est pas terrible, ce que Dieu veuille, elle sera absolue, radicale. »

Dès ce moment, George commence à redouter un

mouvement révolutionnaire qui opposerait une partie de la Nation à l'autre. Le 15 août, elle écrit à Juliette Adam :

« Quoi qu'il arrive, le ciel veuille que les ouvriers ne fassent pas à eux seuls la révolution ! Elle est dans de si bonnes conditions pour se faire sans combat entre Français ! Les batailles de la rue laissent des déchirements et des fureurs qui rendent la victoire stérile ou éphémère. Le pouvoir personnel s'écroule de lui-même, Dieu veuille qu'il soit enseveli par le concours de tous : armée, bourgeois, manœuvres, braves, poltrons, prétendants et radicaux ! Alors on aura une révolution sociale viable. Autrement, je n'espère rien de bon du lendemain. »

George – dans le même temps – s'inquiète pour ses petits-neveux partis au front, conseille à Solange – qui se trouvait à Cannes – de rester dans le Midi, mais refuse de quitter Nohant pour la rejoindre. Elle envoie du linge pour les blessés, elle hésite en revanche à envoyer de l'argent : « N'est-ce pas volé par les administrations ? Je veux que cela aille aux ambulances. » Juliette Adam résume lapidairement : « Elle ne veut pas payer de la poudre à Badinguet*. »

Le 18 août, elle décrit la grande pagaille de l'armée : « On ne craint pas de se battre, on craint de ne servir à rien et de mourir de faim et de maladie dans l'encombrement effroyable dont on est témoin. Il y a à Bourges, à Châteauroux, des troupes entassées depuis quinze jours, qui couchent dehors et men-

* Badinguet : surnom de dérision de Napoléon III.

dient ; sans la fraternité des habitants qui les secourent, ils seraient plus malheureux qu'en campagne. On parle d'exercer les mobiles, d'organiser des gardes nationales sédentaires. Avec quoi ? On n'a pas un fusil à leur donner. »

George est si persuadée qu'un changement de régime interviendra – quelle que soit l'issue des combats – qu'elle écrit au prince Napoléon Jérôme, son ami depuis longtemps et le parrain d'Aurore, l'enjoignant de ne pas « se compromettre au-delà du nécessaire, pour des idées qui ne sont pas les siennes » et de « se réserver » pour jouer un rôle dans la future république. Car, dès cette période, George n'a plus qu'une idée en tête : comment pourra se constituer la république.

« Je suis, moi, de la sociale la plus rouge, aujourd'hui comme jadis ; mais la conformité de doctrines ne me soumet pas à l'adhésion au programme politique. On ne doit jamais imposer les convictions par la violence : c'est coupable et *insensé ;* car ce qui naît de la violence est condamné à mourir de mort violente ; si cette république future avait bonne conscience d'elle-même, elle s'abstiendrait de toute autre action que l'action morale, puisqu'elle est l'obstacle à une république plus tiède, qui aurait au moins la chance de se constituer. »

14, 16, 18 août, Bazaine, qui commande en Lorraine, se laisse enfermer dans Metz à la suite de trois batailles malheureuses. Mac-Mahon, déjà sévèrement touché en Alsace, devrait se replier et couvrir Paris. Il reçoit l'ordre de rejoindre Bazaine. L'ennemi n'est plus très loin de Paris. George, dans une lettre à Plauchut, change de ton. Elle qui avait maudit cette guerre refuse le défaitisme croissant : « Le devoir, c'est de repousser l'ennemi avant tout. » Elle n'accepte pas pour autant de se rallier à la haine que les bons Français manifestent alors contre l'envahisseur : « Tuons-les, ces Prussiens, mais ne les haïssons pas. Ils sont féroces, dit-on. Qui donc, à la guerre, n'est pas monté à ce diapason qui crève l'instrument de l'âme ? » Plus tard, elle s'étonnera encore que « ce peuple allemand, si bon chez lui », puisse se livrer à des actes de barbarie.

Nous l'avons vue préoccupée avant tout du retour à la république ; pourtant, elle a ces mots : « Faire une révolution maintenant serait coupable, elle était possible à la nouvelle de nos premiers revers, quand les fautes du pouvoir étaient flagrantes, à présent il cherche à les réparer. Il faut l'aider. La France comptera avec lui après. Les élections seront une arme qui vaut les mitrailleuses, mais désorganiser un gouvernement et le réorganiser en deux jours, quand l'ennemi est là, ce serait le comble de la démence aujourd'hui. » Plauchut a demandé à George s'il devait tenter de mettre à l'abri quelques objets dans l'appartement de la rue Gay-Lussac. Elle répond avec dignité : « Tous mes bibelots me sont précieux, ce sont des souvenirs ; mais il y aura tant d'autres choses plus précieuses, tant de têtes cassées, si les Prussiens nous pillent, que je ne songerai guère à mon dommage. » Elle ajoute : « Ce qui a le plus de valeur chez moi, c'est ma belle esquisse de Delacroix. » Pourtant, elle refuse qu'il envoie à Nohant ce *Sabbat de Faust* légué par le peintre.

Le 2 septembre, l'armée capitule à Sedan. « Une seule consolation, note George, l'empereur [Napoléon III] est prisonnier. » Elle décrit la situation en Berry : « Pas un fusil, pas une cartouche, pas de pain. Les mobiles de l'arrondissement meurent de faim à Issoudun, ne veulent pas de leurs chefs qui sont des enfants ignares, et font mille désordres là où ils passent. Ils ont saccagé une petite ville près d'ici. Ils sont furieux. L'administration ne fait rien. Plus de gendarmes. Tout est *au petit bonheur* ! Paris ne sait pas à quel point la France est désorganisée, épouvantée, irritée et frappée au cœur par cette immense tuerie des hommes valides qui étaient son meilleur sang, son seul espoir. » Pour la capitale, elle sera moins perspicace : « Paris ne résistera pas », écrit-elle.

Le 4 septembre, George ne peut s'empêcher d'être joyeuse. Elle écrit dans l'agenda : « Maurice m'éveille en me disant : la république est proclamée sans coup férir ! Fait immense, unique dans l'histoire des peuples ! Dieu protège la France ! Elle est redevenue digne de son regard », et à Juliette Adam : « Oui, oui, ayons au moins un jour de bonheur au milieu de nos désespoirs. Vive la république quand même ! J'écrivais il y a quelques jours : " Attendez ! " Paris n'a pas attendu, Paris a conquis sa liberté sans coup férir ; j'espère que, plantée ainsi, elle est viable. A présent, il faut reconquérir la patrie ! »

A cet instant, George n'a qu'enthousiasme pour Paris. Des « noms aimés », dit-elle, apparaissent dans le nouveau gouvernement... Jules Favre, Gambetta, Jules Ferry... et ceux qui ont été ses amis de toujours, Emmanuel et Étienne Arago. Elle a même une démarche – un peu hâtive ? – auprès d'Adolphe Crémieux, ministre de la Justice, pour faire nommer un de ses neveux dans la magistrature... Avec obstination, elle refuse de croire à la volonté de conquête de Bismarck. Optimiste, elle déclare : « La Prusse ne peut pas vouloir nous prendre tout, même l'honneur. Ce serait de la haine, et la vraie France ne mérite pas cela. »

Autre malheur : une épidémie de variole ravage Nohant et ses environs. George fuit la maladie avec Lina et ses filles dans la Creuse, puis à La Châtre. L'armée allemande s'approche de Paris, s'empare du fort de Châtillon, la capitale est à portée des canons ennemis. Jules Favre rencontre Bismarck à Ferrières. Celui-ci exige, pour un simple armistice, la cession d'un fort dominant la ville. Le gouvernement républicain refuse et proclame la guerre à outrance. Rien ne se passe comme George l'avait prévu. L'armée germanique marche en direction de la Loire. G. Sand est rentrée à Nohant, où elle se dit prête à attendre l'arrivée de l'ennemi : « Je serai sur le seuil de ma porte ouverte, et voilà ! » Et la voici jusqu'au-boutiste : « On refuse l'armistice, on offre la paix honteuse. Nous péririons plutôt. » Cependant, la question qui la préoccupe, encore et toujours, est celle du mode de gouvernement qui tirera la France de ce mauvais pas. Elle s'en entretient avec le prince Jérôme Napoléon dans plusieurs courriers : « Tant que nous serons menés, bien ou mal, dans nos crises, par un individu de rencontre, qu'il soit empereur ou avocat*, ce sera toujours le culte ou la haine de l'individu qui décidera de l'opinion. D'autre part, les assemblées sont lentes et discoureuses, s'amusant toujours à la moutarde quand la cuisine brûle... j'ai hâte de voir éclore un essai de gouvernement régulier ! »

On connaît la suite de la guerre : le départ du gouvernement à Bordeaux, le siège de Paris, l'hiver rigoureux, les bombardements et la famine. A Nohant, George, comme chacun, cherche à survivre. Avec des faiblesses : elle s'efforce de trouver des raisons médicales pour éloigner Maurice de la bataille, elle demande à Crémieux qu'on lui permette - contre le décret de réquisition - de garder ses deux chevaux pour une évacuation éventuelle de ses petits-enfants. Et comme ces démarches personnelles lui répugnent, elle ajoute : « Je suis peu suspecte de cupidité ou de réaction... » Plus que tout, les nouvelles font faute. A Nohant, on ne sait même pas ce qui se passe à Vierzon. George constate les erreurs administratives, les gaspillages, les impuissances de la république espérée : « Non, elle ne vivra pas, écrit-elle le 2 janvier 1871. Vous savez que je l'ai acclamée. Je l'appelle toujours du fond du cœur, mais elle a manqué d'hommes en province et n'est généralement représentée que par des incapables ou des gens tarés. [...] Que de fautes irréparables auront été commises et que de désaffections la légèreté républicaine aura exaspérées ! » Le

* L'avocat ainsi désigné est Gambetta.

17 janvier, elle résume, pour Boucoiran : « D'où nous sommes, tout nous paraît noir. »

La défaite de la France est inéluctable. Le 18 janvier, le roi de Prusse est proclamé empereur d'Allemagne à Versailles. Le 28, un armistice est conclu. Apprenant la nouvelle, George écrit à Harisse, qui se trouve à Paris : « Je ne sais pas si c'est la paix, je ne sais quel avenir, quelles luttes intestines, quels nouveaux désastres nous menacent encore, mais on ne vous bombarde plus, mais on ne tue plus les enfants dans vos rues, mais le ravage et la désolation sont interrompus, on pourra ramasser les blessés, soigner les malades... C'est un répit dans la souffrance intolérable. Je respire, mes enfants et moi nous nous embrassons en pleurant. » Et elle se déchaîne, avec toute la hargne dont elle est capable, contre Gambetta : « Arrière la politique ! Arrière cet héroïsme féroce du parti de Bordeaux qui veut nous réduire au désespoir et qui cache son incapacité sous un lyrisme fanatique et creux, vide d'entrailles. [...] Je suis en révolte depuis trois mois contre cette théorie odieuse qu'il faut martyriser la France pour la réveiller. »

Gambetta, le « dictateur », n'a, selon elle, rien fait d'autre « que de promener en tous lieux sa parole bouffie et glacée ». Or Gambetta représentait le régime démocratique : « Ah ! ce malheureux fanfaron a tué la République ! Il l'a fait haïr et mépriser en France, et vous pouvez m'en croire, moi qui, en maudissant les hommes ambitieux et nuls de mon parti, persiste à croire que la forme républicaine, même la plus égalitaire, est l'unique voie où l'humanité puisse entrer avec honneur et profit. » George souhaite alors qu'on en revienne, le plus vite possible, à la paix. Il faudra, dit-elle, un « homme sage et humain » : c'est à Jules Favre qu'elle pense. « Je n'ai pas le fanatisme de la guerre, répète-t-elle, j'aime mieux la poltronnerie que l'égorgement. »

Les premières nouvelles de la Commune vont trouver George Sand dans cet état d'esprit. Des élections législatives ont lieu le 8 février. Listes conservatrices contre listes républicaines. Le pays choisit les premières où il voit des « listes de paix » contre les « listes de guerre ». Le 12 février, à Bordeaux, cette assemblée nomme Thiers « chef du pouvoir exécutif de la République française ». Il engage des négociations avec Bismarck. La convention de paix est signée le 26 février, ratifiée à Bordeaux le 1er mars : la France perd l'Alsace et la Lorraine, s'engage à payer cinq milliards d'indemnité à l'Allemagne, les Prussiens sont autorisés à défiler sur les Champs-Élysées. A Paris, la garde nationale refuse de se soumettre. La troupe régulière tente de lui reprendre des canons, les généraux Lecomte et Thomas sont assassinés le 18 mars. Thiers ordonne à l'armée et aux administrations de quitter Paris pour Versailles. Le comité central de la garde nationale installe dans la capitale un pouvoir révolutionnaire. Le 28 mars, face aux « versaillais », est proclamée la « Commune de Paris ».

D'emblée, George est pessimiste sur l'avenir du mouvement : « Pauvre peuple ! Il commettra des excès, des crimes, mais quelles vengeances vont l'écraser ! » Car l'écrivain voit Paris de sa province, et mesure la coupure entre les deux France : « Paris est grand, héroïque, mais il est fou. Il compte sans la province qui le domine par le nombre et qui est réactionnaire en masse *compacte.* Comme vous êtes ignorants de la province ! Elle fait un immense effort pour accepter Thiers, Favre, Picard, Jules Simon, etc., tous trop avancés pour elle. Elle ne peut tolérer la République qu'avec eux, M. Thiers l'a bien compris, lui qui veut une république bourgeoise et qui ne se trompe pas, hélas ! en croyant que c'est la seule possible. Sachez donc, vous autres, que les républicains avancés sont dans la proportion de un pour cent, sur la surface du pays entier, et que vous ne sauverez la République qu'en montrant beaucoup de patience et en tâchant de ramener les excessifs. »

Dès ce 24 mars, elle va s'employer à prêcher la patience et des solutions raisonnables. Elle tente d'écrire au citoyen Eudes à l'Hôtel de Ville. Eudes était un ami de Blanqui, membre de la Commune et du Comité de salut public. Sans grand espoir. « Ils sont ivres », dit-elle, et, très vite, elle caractérise le mouvement parisien : c'est la « guerre civile », « le coup de fusil contre le coup de canon ». Elle supplie son ami Plauchut de revenir à Nohant. Paris risque d'être à feu et à sang, et c'est finalement la cause républicaine qui va reculer : « Sans la guerre civile, on pouvait convertir la France : et *avec,* elle recule encore plus dans la crainte de l'avenir et l'amour bête du passé ; ce sera la faute du *Comité*, et aussi celle de l'Assemblée, et un peu aussi celle des avancés de notre parti, L. Blanc et Cie, qui se sont montrés trop violents à Bordeaux et qui en ont trop appelé au peuple de Paris. Ils ont cru le commander, aujourd'hui ils le subissent. »

Elle a, pour Boucoiran - l'ancien précepteur de Maurice -, des formules étonnantes pour décrire sa désapprobation des exactions commises dans la capitale : « C'est une grande douleur pour moi, pour moi qui aime classiquement le prolétaire et qui n'ai jamais songé qu'à son avenir. Dans quel absurde et funeste passé il retombe. »

Le 5 avril, le général Flourens, membre de la Commune, est tué par les versaillais. C'est pourtant contre les communards que George s'indigne : « C'est maintenant le régime des plus furieux à l'Hôtel de Ville. Espérons, ajoute-t-elle, qu'il y aura une transaction. » Pour Flaubert, le 26 avril, elle tentera de faire preuve d'un peu d'espoir. Elle sait que l'écrivain est beaucoup plus sévère qu'elle à l'égard de la Commune ; elle tempère ses jugements :

« Je suis triste, triste, c'est-à-dire que je m'étourdis, que je regarde le printemps, que je m'occupe et que je cours comme si de rien n'était... Pour moi, l'ignoble expérience que Paris essaye ou subit ne prouve rien contre les lois de l'éternelle progression des hommes et des choses...

« Quand un arbre est mort, il faut en planter deux autres. »

Elle apprécie de recevoir de Victor Borie des réflexions sur les événements : elle se voit ainsi confirmée dans sa méfiance à l'égard des partis. « On a par-devers soi une somme de croyances et de sentiments qui ont passé en nous et chez tous les honnêtes gens à l'état de principes, mais croire aux représentants *attitrés* ou *étiquetés* de ces principes, nous ne le pouvons plus. En province la masse est bête et craintive. La peur la jette dans la fureur, elle se refait réactionnaire après avoir été flottante. [...] La répression sera donc cruelle et, après les cruautés, on a plus d'ennemis qu'auparavant. »

La cruauté fut plus grande encore : ce fut la « semaine sanglante » du 21 au 28 mai. Les communards exécutaient cinquante-deux otages, dont l'archevêque de Paris, Mgr Darboy ; ils incendiaient les principaux bâtiments de Paris. Les versaillais multiplièrent les exécutions sommaires. Le 27 mai, ils massacraient les fédérés au milieu des tombes du Père-Lachaise. Les « forces de l'ordre » perdirent huit cent soixante-dix-sept hommes, rapporte-t-on, entre avril et mai. On avance d'ordinaire le chiffre de trente mille victimes du côté de la Commune. Les déportations allaient continuer la purge.

Connaissait-on l'ampleur de cette répression en province ? George s'était apitoyée sur les otages, « des pauvres prêtres que je n'aime pas, comme vous savez, mais dont je veux qu'on respecte la vie et la liberté » ; elle avait protesté contre les incendies : « Pourquoi vouloir brûler Paris ? » Après le 30 mai, elle écrit à Mme Martine, qui avait protégé l'appartement de la rue Gay-Lussac : « Grâce à Dieu, le Luxembourg, l'Odéon et le Panthéon ne sont pas brûlés, et, grâce à vous, mon petit mobilier est intact » ; elle juge durement la lettre où Victor Hugo propose un asile aux communards poursuivis : « C'est d'une émotion insensée et enfantine. Il semble que ce grand talent soit un pauvre d'esprit en proie à des nerfs comme une femmelette. » En revanche elle félicite Alexandre Dumas fils d'avoir sauvé des innocents tombés aux mains des versaillais. Pour elle, alors, le choix est clair. Les républicains doivent condamner les « atrocités » de la Commune pour qu'on ne leur assimile pas tout essai de régime démocratique. Le pouvoir qui se met en place « sera sec, froid et borné », mais il faudra « l'accepter ou périr dans la boue et le sang de l'Internationale ».

« Pleurons des larmes de sang sur nos illusions et nos erreurs. Nous avons cru que le peuple des villes était bon et brave. Il est méchant quand il est brave, poltron quand il est bon ; l'Empire l'a rendu dangereux. La République possible ne pourra que le rendre inoffensif, et la République idéale est loin, loin dans l'avenir.

« Nos principes peuvent et doivent rester les mêmes ; mais l'application s'éloigne et nous serons condamnés à vouloir ce que nous ne voudrions pas. »

George, vieillie, plutôt que de s'attendrir sur les désastres, pleure sur ses illusions politiques perdues :

« Moi qui ai tant de patience avec mon espèce et qui ai si longtemps vu en beau, je ne vois plus que ténèbres. Je jugeais les autres par moi-même. J'avais gagné beaucoup sur mon propre caractère, j'avais éteint les ébullitions inutiles et dangereuses, j'avais semé sur mes volcans de l'herbe et des fleurs qui venaient bien, et je me figurais que tout le monde peut s'éclairer, se corriger ou se contenir ; que les années passées sur moi et sur mes semblables ne pouvaient être perdues pour la raison et l'expérience : et voilà que je m'éveille d'un rêve pour trouver une génération partagée entre le crétinisme et le *delirium tremens* », écrit-elle à Flaubert. Déjà, elle songe à la défense qu'elle devra faire contre les accusations de ses amis qui la jugeront trop tiède. A Plauchut, elle écrit le 16 juin une belle déclaration d'indépendance :

« Ne me justifie pas quand on m'accuse de n'être pas *assez républicaine* : au contraire, dis-leur que je ne le suis pas à leur manière. Ils ont perdu et ils perdront toujours la république, absolument comme les prêtres ont perdu le christianisme. Qu'est-ce que cela me fait que mon jugement déplaise à la petite église qui le [Gambetta] juge comme moi, mais qui s'est donné le mot d'ordre de politique hypocrite, de le défendre pour ne pas avouer que cet incapable était le moins incapable de leur *parti* ? Les partis, j'en ai plein le nez, je n'en veux plus. Je tiens pour crétins ou insensés tous ceux qui se donnent à des personnalités. Comme au lendemain de juin 48, le dégoût me jette dans l'isolement en face de ma conscience révoltée et libre, Dieu merci ! »

Pourtant, quand Flaubert se déchaînera en sarcasmes contre l'égalité, contre le peuple, contre le suffrage universel, souhaitant un gouvernement des « mandarins », quand il lui écrira « Ah ! chère bon maître, si vous pouviez haïr ! C'est là ce qui vous a manqué : la Haine. Malgré vos grands yeux de sphinx, vous avez vu le monde à travers une couleur d'or », George ne pourra s'empêcher de clamer son attachement à ce qu'elle défend depuis toujours. La lettre de réponse à Flaubert devient un manifeste, et elle l'envoie au *Temps* sous le titre de « Lettre à un ami ». « Eh ! quoi, tu veux que je cesse d'aimer... ? » Il faut lire au moins quelques bribes de ce texte brûlant où George, blessée et toujours « croyante », se donne tout entière :

« Le peuple, dis-tu ! – Le peuple, c'est toi et moi, nous nous en défendrions en vain. [...] Je ne sais si tu as des aïeux très avant dans la bourgeoisie ; moi, j'ai mes racines maternelles directes dans le peuple et je les sens toujours vivantes au fond de mon être. *Le peuple toujours féroce*, dis-tu ; moi je dis : la noblesse toujours sauvage !

« La raison et le sentiment sont toujours d'accord en moi pour me faire repousser tout ce qui veut nous ramener à l'enfance ; en politique, en religion, en philosophie, en art. Mon sentiment et ma raison combattent plus que jamais l'idée des distinctions fictives, l'inégalité des conditions, imposée comme un droit acquis aux uns, comme une déchéance méritée aux autres. [...] Jusqu'à ce que mon cœur s'épuise, il sera ouvert à la pitié, il prendra le parti du faible, il réhabilitera le calomnié. [...] Et toi, ami, tu veux que je voie ces choses avec une stoïque indifférence ! Tu veux que je dise : L'homme est ainsi fait ; le crime est son expression, l'infamie est sa nature.

« Non, cent fois non. L'humanité est indignée en moi et avec moi. Cette indignation qui est une des formes des plus passionnées de l'amour, il ne faut ni la dissimuler ni essayer de l'oublier. »

Et ce mot : « Nous mourrons tout vivants et tout chauds. »

La vie suivra son cours. George reprendra le chemin de la capitale avec deux pièces dans son sac, qu'elle ira lire à l'Odéon. Flaubert a perdu sa mère. Son humeur est de plus en plus noire ; il se tourne vers son amie : « Plus que jamais j'aimerais à vous avoir maintenant dans mon pauvre Croisset, et à vous faire coucher près de moi, dans la chambre de ma mère. » George regagnera Nohant sans passer par la Normandie.

Le jour de ses soixante-huit ans, c'est encore à son « vieux troubadour » qu'elle écrit. Depuis plus d'un mois, Aurore lui a passé la coqueluche ! « Santé parfaite » pourtant, note-t-elle ; contre l'avis des médecins, elle va toujours à la rivière et plonge la maladie « dans un petit torrent furibond, froid comme glace. Cela bouillonne dans les pierres, les fleurs, les grandes herbes sous un ombrage délicieux, c'est une baignoire idéale... ».

George vit... Pendant que Flaubert tourne à l'hypocondrie, elle travaille, apaisée. Elle lui donne même quelques conseils d'affaires : il se débrouille si mal avec les éditeurs ! « Nous sommes des Don Quichotte, mon vieux troubadour, il faut nous résigner à être bernés par les aubergistes... » Il refuse les contacts, annule les rendez-vous : « Ce n'est pas vivre que de s'abstenir de tout le mal de ce bas monde, lui écrit-elle. Il faut avaler l'amer et le sucré. »

En un mois, elle compose un article pour *L'Opinion nationale*, un feuilleton pour *Le Temps* sur Victor Hugo,

Bouilhet, Leconte de Lisle et Pauline Viardot, un conte fantastique, « Le Nuage rose », pour *La Revue des Deux Mondes* et... une centaine de lettres... Toujours écrivant, la voilà partie à Cabourg avec ses petites-filles pour des « bains de mer » d'un mois. Retour à l'Indre glacée... « Personne ne veut m'y suivre, elle est trop froide. Qu'est-ce qui [*sic*] croirait qu'avec mon air et mon âge tranquille, j'aime encore les excès ? » Et comme elle avoue sa passion pour la petite Aurore, elle ajoute, coquette, à l'adresse de Flaubert : « Ah ! que je suis peu littéraire ! Méprise-moi, mais aime-moi toujours ! »

Pendant ce temps, Flaubert a entamé « le grand ouvrage » ; il travaille au projet de *Bouvard et Pécuchet.* Il tente, comme ses antihéros, de faire le tour des connaissances contemporaines. Comme s'il avait besoin de s'assigner une mission impossible, il fixe très loin le terme de ce futur livre... Il lui faudra, dit-il, deux ans... puis parle de trois ans, et peut-être de cinq ! George le sermonne : « Il me semble que tu regardes trop le bonheur comme une chose possible, et que l'absence de bonheur, qui est notre état chronique, te fâche et t'étonne trop. »

George vit... Le 21 novembre 1872, il a fait si beau... Elle est partie avec Maurice, Aurore et Gabrielle... Ils ont découvert l'étang qui déborde où ils retournent ce 1er décembre... « Nous avons, à deux heures d'ici, des bois absolument déserts où, au lendemain de la pluie, il fait aussi sec que dans une chambre et où il y a encore des fleurs pour moi et des insectes pour Maurice. Les petites filles courent comme des lapins dans des bruyères plus hautes qu'elles. Mon Dieu que la vie est belle quand tout ce qu'on aime est vivant et grouillant ! »

Flaubert a reçu l'exemplaire de *Nanon* qu'elle lui avait envoyé. Il a lu jusqu'à quatre heures du matin. Pour saluer ce qu'il estime un « excellent livre », il relève cette phrase de sa « chère maître » : « A partir de ce jour-là, je sentis du bonheur dans tout, et comme une joie d'être au monde. » Lui qui enrage si souvent du « bénissage perpétuel » de George ne peut s'empêcher de s'exclamer : « Quel être vous faites !!! quelle puissance ! » Flaubert crispé, Flaubert maussade, Flaubert furieux contre tout et tous, conclut : « Je vous remercie du fond du cœur pour cette double lecture. Elle m'a détendu. Tout n'est donc pas mort ! il y a encore du Beau et du Bon dans le monde. Vous m'édifiez et vous m'émerveillez ! voilà. »

George vit... Elle avait peut-être fourré cette lettre dans une de ses poches, quand, le journal sous le bras, elle parcourait la campagne berrichonne ce 1er décembre 1872 pour faire moisson de chenilles et de cocons. Aurore et Gabrielle auront pris de nouvelles leçons et du soleil aux joues. George, à peine arrivée, s'assoira devant son secrétaire de bois blond : l'article pour *Le Temps* en tête, dans les plis de la promenade. « Entre deux nuages », écrit-elle en titre, de son écriture ronde élargie au cours des années... Les petites filles, la nature, la politique, le bonheur d'un jour ensoleillé, d'un jour de printemps à l'entrée de l'hiver...

« Nous mourrons tout vivants et tout chauds. »

George est morte le 8 juin 1876. Ses derniers mots furent : « Laissez verdure. » Solange lui joua un dernier mauvais tour : des obsèques religieuses.

Froide sa tombe au jardin-cimetière. Froids aussi quelques-uns de ses livres, tombés dans l'oubli. Mais les cars de touristes envahissent Nohant. Les amis de George sont légion.

Certains de ses ouvrages s'étudient dans les classes. Certains mériteraient bien de retrouver la chaleur et l'amitié de lecteurs non scolaires.

Ses lettres brûlent toujours, belles, vivantes. « Je ne serai jamais ni un sage ni un savant, avait-elle dit. Je suis femme, j'ai des tendresses, des pitiés et des colères. »

ANNEXE

REPÈRES CHRONOLOGIQUES

Ce tableau ne prétend pas être exhaustif. En particulier, il ne reprend pas les événements développés dans ce livre.

1er juillet 1804 : naissance à Paris d'Amantine, Aurore, Lucile Dupin.
1808 : retour à Nohant des parents d'Aurore, après la campagne en Espagne.
Septembre 1808 : mort du père d'Aurore, mort du petit frère.
1809 : Aurore est confiée à sa grand-mère ; vit à Nohant.
1818-1820 : couvent des Dames augustines anglaises à Paris.
Avril 1820 : retour à Nohant.

Le premier chapitre se déroule le lundi 17 septembre 1821.

26 décembre 1821 : mort de la grand-mère. Aurore vit à nouveau avec sa mère.
Avril 1822 : séjour chez les Roettiers du Plessis. Fait la connaissance de Casimir Dudevant.
17 septembre 1822 : mariage d'Aurore et de Casimir Dudevant.
30 juin 1823 : naissance de Maurice Dudevant.
Été 1825 : voyage dans les Pyrénées. Rencontre d'Aurélien de Sèze.

Le deuxième chapitre se déroule le mardi 22 janvier 1828.

13 septembre 1828 : naissance de Solange Dudevant.
1829 : écriture de : *Le Voyage de M. Blaise, Le Voyage en Auvergne, Le Voyage en Espagne, Les Couperies, La Marraine.*
30 juillet 1830 : rencontre de Jules Sandeau.
4 janvier 1831 : premier séjour d'indépendance à Paris.
1831 : collaboration au *Figaro.* Collaboration avec J. Sandeau : *Rose et Blanche.*
1833 : rupture d'avec J. Sandeau. Brève liaison avec Mérimée. Rencontre de Marie Dorval. Rencontre avec Musset.
12 décembre 1833 : départ en Italie avec Musset.
1er janvier-24 juillet 1834 : séjour de G. Sand à Venise.
Août 1834 : retour à Paris avec Pagello. (Il repartira en octobre 1834.)
Octobre 1834 : nouvel épisode Musset.
Publications : *Indiana. Valentine. Lélia. Aldo le Rimeur. Métella. Le Secrétaire intime. Leone Leoni. 1re, 2e, 3e, 4e Lettres d'un voyageur. Jacques.*

Le troisième chapitre se déroule le mercredi 15 avril 1835.

1836 : procès entre les époux Dudevant qui aboutira à la séparation de corps et de biens. G. Sand conserve la garde de Nohant.
Septembre-octobre 1836 : George, Maurice et Solange rejoignent en Suisse Liszt et Marie d'Agoult.
Juin 1837 : rupture avec Michel de Bourges.
19 août 1837 : mort de la mère de G. Sand. Enlèvement de Solange par son père. George la récupère dans les Pyrénées.
Hiver 1837-1838 : Balzac passe une semaine à Nohant.
Juin 1838 : début de la liaison entre Chopin et George Sand.
Novembre 1838-février 1839 : voyage à Majorque.
1840 : rencontre avec Agricol Perdiguier, avec Pauline Viardot.
Novembre 1841 : 1er numéro de la *Revue indépendante* fondée par Pierre Leroux, Louis Viardot et George Sand.
Publications : *André. 6e et 7e Lettres d'un voyageur. Mattea. Simon. Lettre à M. Nisard. 8e, 9e, 10e Lettres d'un voyageur. Lettres à Marcie*

(dans *Le Monde,* journal de Lamennais). Mauprat. *Composition des maîtres mosaïstes. Lélia* (nouvelle version). *Spiridion. Les Sept Cordes de la lyre. Gabriel. Cosima* (représentée au Théâtre-Français. Échec). *Le Compagnon du Tour de France.*

Le quatrième chapitre se déroule le lundi 6 juin 1842.

1843 : G. Sand prend la défense d'une jeune débile contre l'administration ; c'est l'affaire de Fanchette.

19 mai 1847 : mariage de Solange avec le sculpteur Clésinger.

Juillet 47 : scènes entre George Sand et les époux Clésinger. Rupture entre George Sand et Chopin. George Sand commence à travailler à *Histoire de ma vie.*

Publications : *Un hiver à Majorque. Horace. Consuelo. La Comtesse de Rudolstadt. Jeanne. Le Meunier d'Angibault. Le péché de M. Antoine. La Mare au diable. Isidora. Teverino. Lucrezia Floriani. François le Champi.*

Le cinquième chapitre se déroule le mercredi 23 août 1848.

1848 : *Le roi attend* au théâtre de la République.

1849 : triomphe du *Champi* au théâtre de l'Odéon.

1851 : *Claudie* au théâtre de la Porte-Saint-Martin. Au théâtre encore, mais sans succès, *Molière, Le Mariage de Victorine, Maître Favilla* (demi-succès), *Lucie, Françoise, Comme il vous plaira* (adaptation de Shakespeare) sont des échecs.

28 novembre 1853 : *Mauprat* joué à l'Odéon.

13 janvier 1855 : mort de Jeanne Clésinger. Voyage en Italie.

1856 : début des séjours à Gargilesse.

Durant toute cette période, George intervient pour les exilés auprès de Napoléon III.

Publications : *La Petite Fadette. Mont-Revêche. Les Maîtres sonneurs. La Filleule. Histoire de ma vie* (en feuilleton dans la presse 1854-1855). *La Daniella. Les Beaux Messieurs de Bois-Doré.*

Avec les illustrations de Maurice : *Mœurs et Coutumes du Berry, les visions de la nuit dans les campagnes.*

Édition populaire de ses œuvres chez Hetzel.

Le sixième chapitre se déroule le mardi 1er juin 1858.

1860 : typhoïde suivie d'un séjour à Tamaris, en Provence.
17 mai 1862 : mariage de Maurice et de Lina Calamatta.
29 février 1864 : triomphe du *Marquis de Villemer* à l'Odéon.
Juin 1864 : mort de Marc-Antoine, fils de Maurice et Lina.
21 août 1865 : mort de Manceau.
10 janvier 1866 : naissance d'Aurore.
1866 : début des relations avec Flaubert.
Publications : *Promenades autour d'un village. Narcisse. Les Dames vertes. L'Homme de neige. Elle et Lui. Jean de La Roche. Constance Verrier. Tamaris. La Ville noire. Le Marquis de Villemer. La Famille de Germandre. Valvèdre. Mademoiselle La Quintinie. Laura. Le Dernier Amour.*
Au théâtre : *Marguerite de Sainte-Gemme.*

Le septième chapitre se déroule le vendredi 4 octobre 1867.

11 mars 1868 : naissance de Gabrielle.
Publications : *Cadio. Mademoiselle Merquem. Malgré tout. Nanon.*
Pour *Le Temps,* trente et un articles sous le titre : *Rêveries et Souvenirs, Impressions et Souvenirs* et huit contes. Au théâtre : *Les Don Juan de Village, Cadio.*

Le huitième chapitre se déroule le dimanche 1er décembre 1872.

Publications : *Ma sœur Jeanne. Marianne Chevreuse. Flamarande. Les Deux Frères. La Tour de Percemont.* Travaille à un autre roman : *Albine Fiori.*
8 juin 1876 : mort de George Sand.

ACHEVÉ D'IMPRIMER
LE 4 AVRIL 1990
SUR LES PRESSES DE
L'IMPRIMERIE HÉRISSEY
À ÉVREUX (EURE)
POUR ROBERT LAFFONT
(ÉDITEUR À PARIS)

Dépôt légal : Février 1990
N° d'éditeur : 32630
N° d'imprimeur : 51109

Imprimé en France